スムーズな走りを極める!

陸上競技 ハードル

新装版

順天堂大学陸上競技部監督
山崎一彦監修

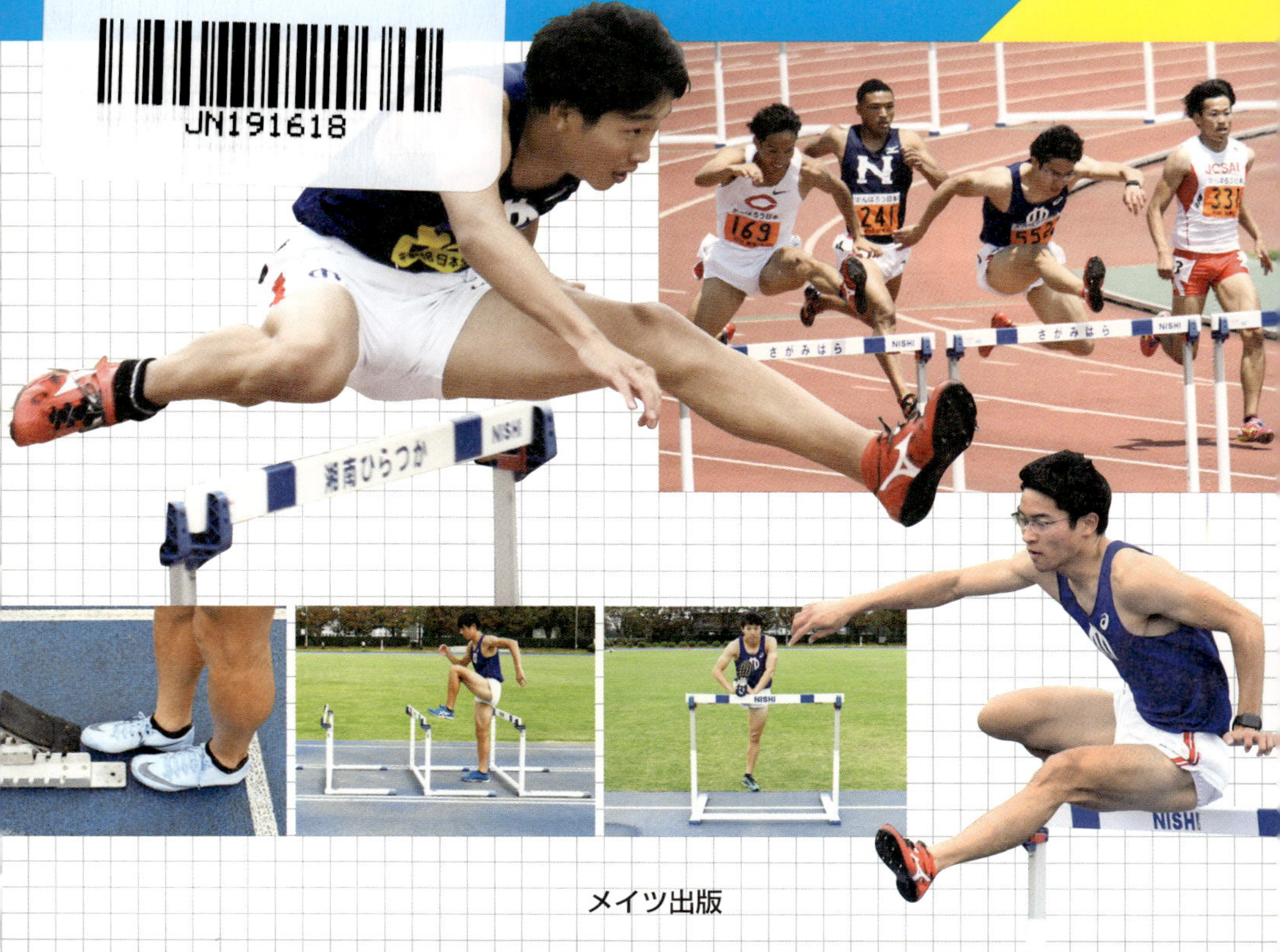

メイツ出版

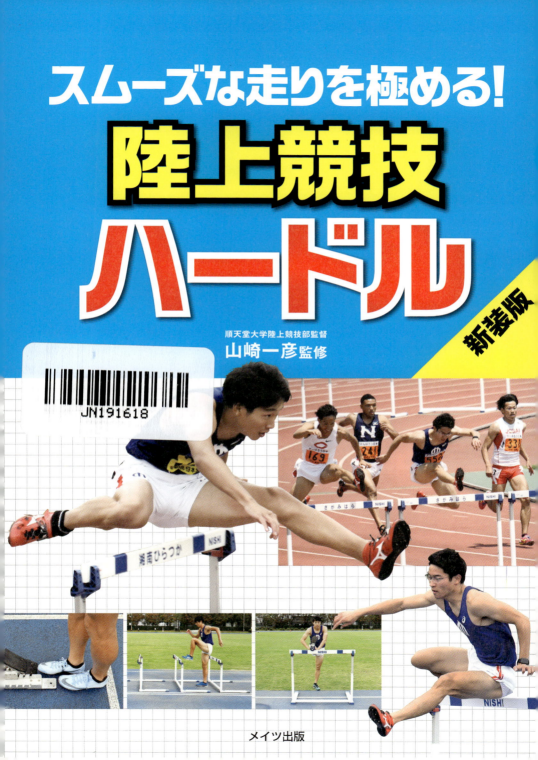

はじめに

数ある陸上競技の実用書の中から、この「スムーズな走りを極める！陸上競技ハードル」を手にとっていただいたことに対して、まず感謝を申し上げます。

本書では、ハードル種目のスプリントハードル（男子110mハードルと女子100mハードル）と400mハードルの競技特性を述べた上で、スタートからアプローチ、ハードリング、インターバルの走りといった各局面における考え方やフォームのポイントを解説しています。さらに、それぞれの局面をレベルアップさせるためのトレーニング方法についてもいくつか紹介しました。

ハードルは、陸上競技の根本をなす「走る」「跳ぶ」という要素がミックスされており、「アスリートの総合評価ができる競技」とも言えます。脚が速いだけ、あるいは跳躍の能力が高いだけでは、優れたハードラーになれるわけではありません。それらをうまく配分し、調整しながらトレーニングすることで競技力が向上していきます。さらに、効率的な動きを制限する障害（ハードル）という要素が入ってくるので、単なる走力やハードル技術に加え、戦術面や心理面がパフォーマンスに大きく影響します。

とくに私が専門にしていた400mハードルは、かつて「脚が短く遅い日本人には厳しい種目」と言われていました。しかし、トレーニングを工夫したり、レースでミスをせず堅実に走ったりという日本人の特性を生かすことで、日本人選手は世界のトップ選手と十分に渡り合ってきました。そういう意味からも、単なる身体能力だけで勝敗や記録が決まらない点が、ハードル競技の魅力だと思います。

本書を参考にしつつ、自分自身のトレーニングを確立し、それぞれの目標達成のために邁進してください。少しでもそのお役に立つことができれば幸いです。

順天堂大学　陸上競技部監督
山崎一彦

TOKYO
がんばろう日本
115
204
NISHI
さがみはら
NISHI

タイトル
このページでマスターするコツとテクニックの名前などが一目でわかるようになっている。

PART 1
コツ 02
ハードル競技の種類
種目ごとの特性を考えてハードルに取り組む
各種目の特性を理解してスキルアップを図る
ハードル競技には、スプリントハードルと言われる男子の110mハードルと女子の100mハードル、男女共通の400mハードルがある。走って跳ぶという基本動作は同じだが、ハードルの高さやハードル間の距離（インターバル）は異なり、細かい技術や練習方法も変わってくる。
たとえばスプリントハードルでも、重心より高い位置で跳ぶ男子は跳び越えるテクニックがより重要なのに対し、ハードルがやや低い女子は走り抜ける
12

解説
テクニックについての知識や体の動かし方などを解説。しっかり頭で整理し、練習に取り組むことができる。

この本の使い方

この本では、ハードル競技で活躍するためのコツを紹介しています。「走る」と「跳ぶ」で構成された競技のメカニズムをわかりやすく解説し、速く効率よく体を動かすためのアドバイスを掲載。フォームや注意点、トレーニング法など実践に向けて必要な内容を順序だてて説明しているので、読み進めることで着実にレベルアップすることができます。特に知りたい、苦手だから克服したいという項目があれば、その項目だけをピックアップしてチェックすることもできます。

各ページには、コツをマスターするためのPOINTやプラスワンアドバイスも記され、巻末にはコンディショニングやメンタル、競技におけるQ&Aのページも設けています。日々の練習や試合で参考にしましょう。

POINT

コツをマスターするためのポイントを紹介している。練習に取り組む際には、常に意識しよう。

POINT 1 スプリントハードルは同じ歩数で走り抜ける

スプリントハードルは一般的に、ほとんどの選手が同じ歩数で走り抜け、10台のハードルをどちらか一方の足で踏み切る。決まった歩数で可能な限りピッチを上げて走り、ハードルを越える際はそのスピードをできるだけ落とさないことが好走のカギになる。

POINT 2 400mハードルは持久力的要素が不可欠

400mハードルは、男女ともにスタートから第1ハードルまで45m、10台あるハードル間のインターバルは35m、最終ハードルからゴールまでが40mで統一され、ハードルの高さだけが男女間で異なる。400m走をきちんと走り切れる持久力的要素が欠かせない。

POINT 3 ハードルの高さの違いで求められる要素が異なる

インターハイやシニアの大会では、ハードルの高さが男子110mH＝1.067m、男子400mH＝0.914m、女子100mH＝0.840m、女子400mH＝0.762mと設定されている。男子110mHはより技術性が、その他の種目はより走力を生かしたハードリングが求められる。

+1 プラスワンアドバイス

中学規格は一般よりハードルの高さが低い

中学生の大会では400mハードルは実施されいない。スプリントハードルはハードルの高さが一般と異なり（110mH=91.4㎝、100mH=76.2㎝）、100mハードルはインターバルが8.0mとやや短い。

13

プラスワンアドバイス

選手としてレベルアップできる要素の、知識やテクニックなどを紹介している。

※本書は 2018 年発行の『スムーズな走りを極める！陸上競技　ハードル』を元に、必要な情報確認を行い、書名・装丁を変更し、新たに発行したものです。

CONTENTS

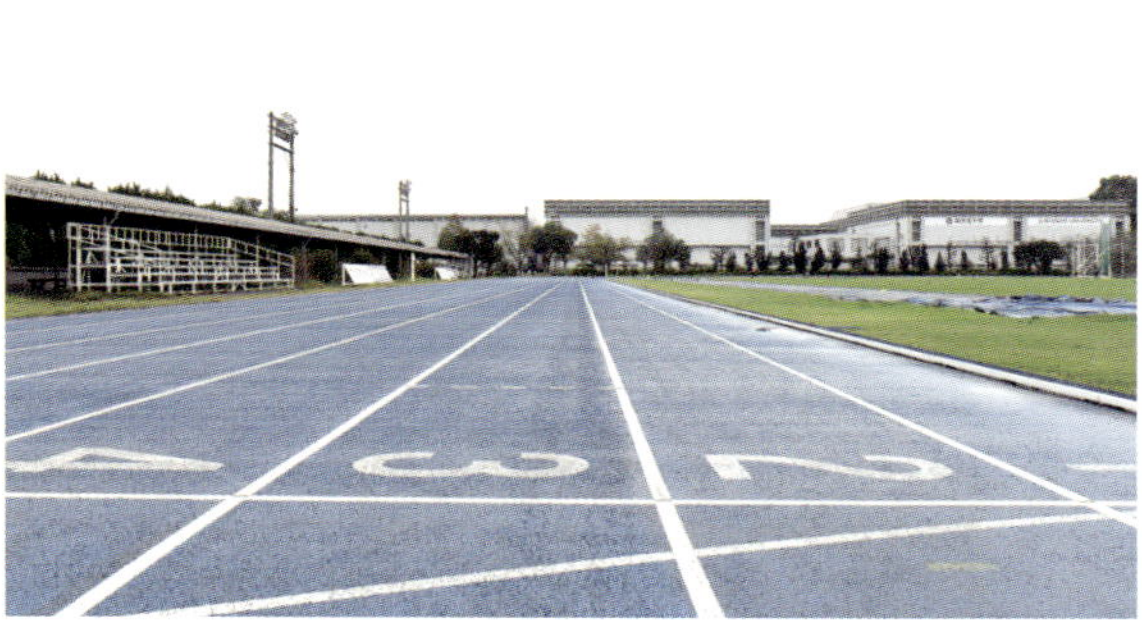

PART5　レースに向けて心と体を整える

PART 1 ハードル上達のプロセス

PART 1

コツ 01

ハードル競技とは メカニズムを理解してハードル競技にのぞむ

「速く走れる」「うまく跳べる」のいずれかだけでは、優れたハードラーにはなれない。両方のレベルを上げて調和させる

速く走りながらハードルを越えていく

ハードル競技は、一定の区間内に置かれた障害（ハードル）を、走りながらクリアしていき、ゴールタイムを競う。**大きく分けて、「走る」「跳ぶ」という2つの要素で構成され、スピードが求められつつも、決められた障害を越えるためにストライド（歩幅）をコントロールする必要がある。**「走る」と「跳ぶ」の一方だけが優れていても、好結果は望めない。

身体能力が欧米人に比べて高くないと言われるアジア人選手でも世界大会で活躍しており、テクニックや戦術を身につけることで、誰でもレベルアップが期待できる種目だ。

POINT 1 ハードルの中での「走る」ことの重要性

ハードル競技は、速く走れる選手が有利である。スプリントハードルの、とくに女子にその傾向が強い。かつて日本人はハードルを跳ぶことに重きを置いていたが、今はスプリントの中でどれだけハードルを速く跳ぶかという考え方が主流になっている。

POINT 2 無駄な動きのないハードリングを目指す

ハードルを跳び越すことを「ハードリング」と言う。ハードルでは速く走ることが重要だが、ハードリングを軽視していいわけではない。踏み切りや着地でブレーキをかけたり、無駄な動きをせず、可能な限り普通の走りを維持できるハードリングを身につける。

POINT 3 タイム短縮が可能なテクニックを磨く

たとえば400mHでは、レース後半にインターバル間の歩幅が合わないという状況が出やすい。とくに初級レベルの選手や女子に多い課題だが、これは「足合わせ」のような練習方法がある。タイム短縮の可能性を秘めた細かいテクニックを磨いていく。

+1 プラスワンアドバイス

自身の特性に合った戦術や過去の経験がレースに生きる

ハードル競技（とくに 400 mハードル）は、戦術（ペース配分）を変えることで結果が左右する種目。自身が積み上げてきた経験も、日々の練習やレースの戦い方で生かすことができる。

ハードル競技の種類

種目ごとの特性を考えてハードルに取り組む

各種目の特性を理解してスキルアップを図る

ハードル競技には、スプリントハードルと言われる男子の110mハードルと女子の100mハードル、男女共通の400mハードルがある。**走って跳ぶという基本動作は同じだが、ハードルの高さやハードル間の距離（インターバル）は異なり、細かい技術や練習方法も変わってくる。**

たとえば同じスプリントハードルでも、重心より高い位置で跳ぶ男子は跳び越えるテクニックがより重要なのに対し、ハードルがやや低い女子は走り抜けるイメージでクリアしていく。それぞれの種目の特性を理解することで効率よくスキルアップできる。

POINT 1 スプリントハードルは同じ歩数で走り抜ける

スプリントハードルは一般的に、ほとんどの選手が同じ歩数で走り抜け、10台のハードルをどちらか一方の足で踏み切る。決まった歩数で可能な限りピッチを上げて走り、ハードルを越える際はそのスピードをできるだけ落とさないことが好走のカギになる。

POINT 2 400mハードルは持久力的要素が不可欠

400mハードルは、男女ともにスタートから第1ハードルまで45m、10台あるハードル間のインターバルは35m、最終ハードルからゴールまでが40mとされ、ハードルの高さだけが男女間で異なる。400m走をきちんと走り切れる持久力的要素が欠かせない。

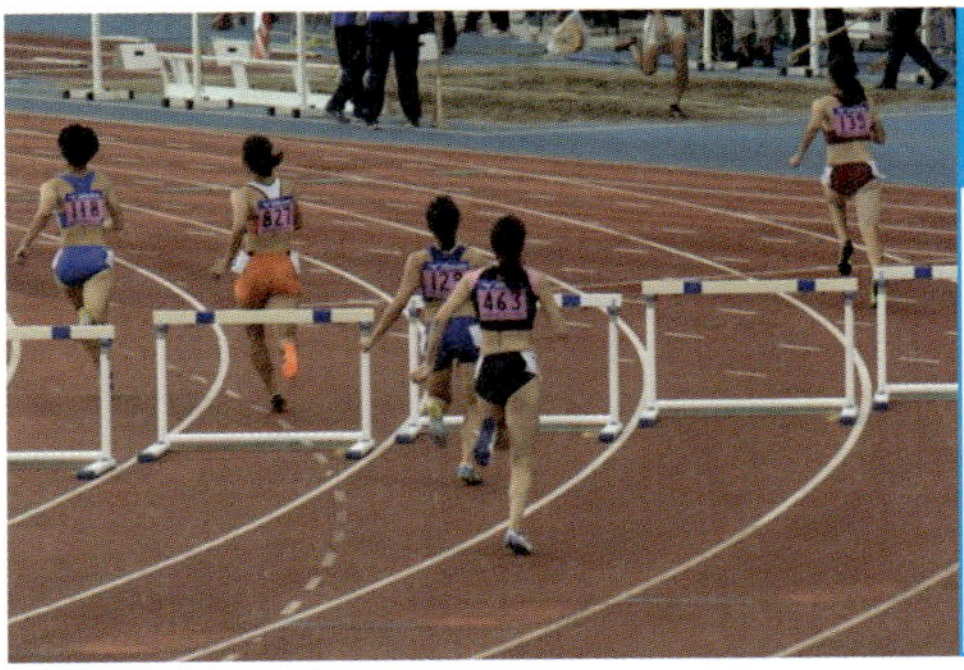

POINT 3 ハードルの高さの違いで求められる要素が異なる

インターハイやシニアの大会では、ハードルの高さが男子110mH＝1.067m、男子400mH＝0.914m、女子100mH＝0.838m、女子400mH＝0.762mと設定されている。男子110mHはより技術性が、その他の種目はより走力を生かしたハードリングが求められる。

+1 プラスワンアドバイス

中学規格は一般よりハードルの高さが低い

中学生の大会では400mハードルは実施されていない。スプリントハードルはハードルの高さが一般と異なり（110mH＝91.4㎝、100mH＝76.2㎝）、100mハードルはインターバルが8.0mとやや短い。

コツ 03

自分の能力を最大限生かして記録を伸ばす

ハードルに必要な能力

ハードルのスピードは、「ストライド（歩幅）×ピッチ（回転）」。日々のトレーニングでは短所を克服しつつ、長所を伸ばそう

長所に磨きをかけ 短所はできるだけ克服する

ハードルで記録を伸ばすためには、自分の能力やタイプをあらかじめ知っておく必要がある。速く走るスピードが武器なのか、跳躍系の動きが得意なのか。自分の特徴を確認した上で、長所はさらに磨きをかけ、短所はできるだけ克服し、段階的にレベルアップさせていきたい。

体格は、ストライドが取れるという点で**背が高い（脚が長い）に越したことはない。ただし、大きい人は素早い動きでやや劣ることもあるので、脚を速く回すことができる小柄な人でも十分に戦える。**近年の傾向は、活躍するのが大きい選手と小さい選手とに二極化している。

POINT 1 スプリントの能力値が結果を大きく左右する

ハードル競技は、走る能力の高さがタイムを大きく左右する。スプリントハードル（とくに女子100mハードル）は、400mハードル以上にその傾向が強い。ただ、加速と減速を繰り返すハードルでは、再加速するための技術やインターバルの回転数を上げることも必要になる。

POINT 2 400mHに不可欠なのはロングスプリント力

400mHもスプリント能力はあった方がいい。しかし、スピードを維持できる持久的要素も欠かせないので、ロングスプリント力のある人に向いている。また、逆の足で踏み切ったり、インターバル間の歩数を変える必要もあり、器用さも求められる。

POINT 3 骨格や体型によって走り方や跳び方が変わる

ハードルの台数やインターバル間の距離は常に一定なので、身長や手脚の長さが異なれば、走り方や跳び方も変わってくる。つまり、骨格や体型がまったく違う人の真似をしても必ずしもレベルアップできるとは限らない。まず自分自身を知ることから始める。

+1 プラスワンアドバイス

スプリント力とともに高い跳躍力も重要な要素

跳躍種目や混成競技を専門にしている選手がハードル競技で勝つことも多い。基礎的な動きができた上で「ハードルを跳ぶ」という動きを乗せると、活躍できるケースがある。

PART 1

コツ 04

段階ごとにクリアしてハードルを上達する

ハードル上達のプロセス

レベルアップ法の一つとして、ハードル動作の実際の動きでは意識しづらい部分を、ドリルなどで一部の動作を強調することで反復練習していく

「縦の動き」と「横の動き」を習得し、調和させる

ハードルの競技力を上げるには、ハードルを跳び越えるという「縦の動き」と、速く水平移動をする「横の動き」をそれぞれ習得し、両方を調和させることが基本になる。それによって、**踏み切りや着地の際にブレーキがかかって減速することなく、速いスピードを維持したまま駆け抜けることができる。**

まずは基本フォームを正しく理解し、その動作を身につけていく。同じハードルでも種目ごとに異なるトレーニング法があることは知っておこう。レース戦術の理解やメンタル強化を取り入れると、記録をさらに伸ばすことも可能だ。

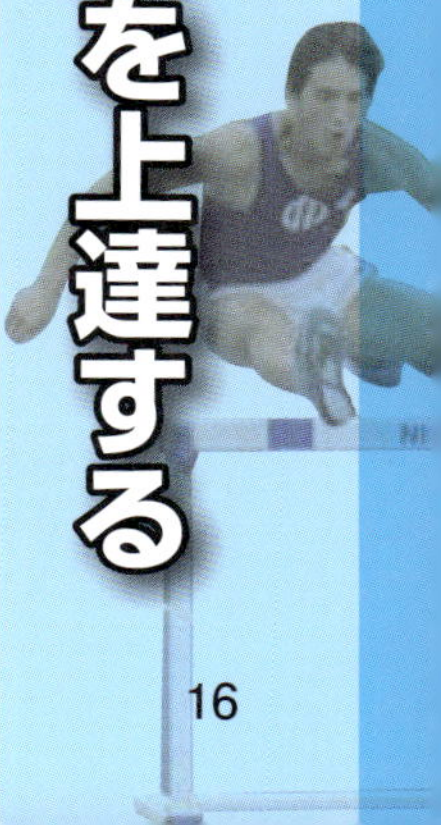

POINT 1 いつでも同じ動きをできるようにする

「走る」動作には、スタートや1台目までのアプローチ、インターバル間の走り方、フィニッシュといった局面があり、「跳ぶ」には踏み切りや着地、空中動作などの局面がある。ロスの少ない、自分に合ったフォームを見つけ、いつでも同じ動きができるようにする。

POINT 2 フォーム作りは横に動きながら進める

「とにかく速くゴールする」ことは、「横の動き」につながる。そこにハードルという「縦の動き」が出てきたときに、いかに水平移動をしながら動くかがポイント。フォーム作りとしては、基本的に横に動いていくことを考えながら進めていく。

POINT 3 110mH、100mH、400mHでトレーニングは異なる

細かい動きを考えると、110mH、100mH、400mHに大別でき、すべてに共通したトレーニングもあるが、それぞれ専門のトレーニングもある。400mHは走る練習がより多く入ってくる。どの練習も正しい動作の理解があって、スムーズな走りを身につけるものと考える。

+1 プラスワンアドバイス

戦術やメンタルを向上させて総合力を上げる

ハードルはスプリント種目以上に、戦術がレースの出来に影響してくる。また、メンタルも同様で、それらを全体的にスキルアップさせせると、スピードや技術の不足を補える面もある。

コラム

「緻密なペース配分が結果を左右する」

400m ハードルは、戦術（ペース配分）次第で成績が大きく左右する。レース終盤で逆転劇が起こるケースが少なくないため、その意味でも余力を残しておくペース配分が重要になる。戦術を変えることで自身や他の選手に与える心理状況も変化し、成績に影響を及ぼすこともある。

パフォーマンス決定要因を、高校、日本、世界に分けて見てみよう。

高校は男女ともに、後半型あるいは持久系能力に優れている選手が記録は良い傾向にあり、歩数は少ない方が良いものの、絶対条件にはなっていない。とくに男子は、ハードリング技術が高い。

日本のトップ選手も、後半型あるいは持久系能力に優れている選手が記録は良い傾向にあるのは男女共通で、とくに男子は2台目、5台目のスピードが高い。

世界の場合、男女ともにスプリント能力が高い。男子はさらに2台目のスピードが高く、中盤（5～8台目）の速度逓減が少ない。女子は総歩数が少なく、400m の走力が高い。

つまり、レベルに応じて戦術が少しずつ変わる。競技者（指導者も）は目先の結果より、将来の自分を想像しながらトレーニングしていくことが重要だろう。

もちろん、自身の特性が前半型か後半型で、目指すべき方向性やトレーニング方法、動きの要素は変わってくる。ただ、300m 付近でライバルを射程距離内に入れておくと、最後まで力が入る走りになることが多いという点は、総体的に言えるだろう。

一方、スプリントハードルに関しては、レース全体の総歩数がほぼ固定されている点や、10 数秒で決着がついてしまう種目特性から言って、400 mハードルほど戦術が結果に及ぼす影響は大きくない。

ただ、他の選手が近くにいる分、心理的な影響は受けやすい。強い選手のリズムに引き寄せられたり、左右のレーンの選手を気にしてしまったりということがないように、自分の走りに徹することのできるメンタリティの養成が不可欠である。

PART 2

効率の良いフォームを身につける

コツ 05

ハードル競技の流れ（スタート）

1台目のハードルをリズム良く入る

1台目までのプロセスの良し悪しで、その多くが決まってしまう。ここをうまく乗り切れると、「行ける！」というプラスの心理が働く

「踏み切りの足が合わない」という課題は、スタート姿勢を微調整することで改善できる

1台目から乱れると立て直すのが難しい

ハードル競技は、1台目のハードルまでのプロセスの良し悪しで結果が決まることが多い。スタートして1台目までのアプローチは、スプリントハードルの男子が13.72m、女子が13.00m。400mハードルは45m。1台目がうまく跳べると、**最後までリズム良く行きやすい一方、最初がスムーズに行けないと、そこから立て直すことは難しい。**

基本的には1台目のハードリング技術がその人のハードル技術になる。練習方法の1つが、1台目までの距離をやや短くし、間延びしないようにし、通常のスタートダッシュと同じ感覚で行う。

コツ
+α

ハードル競技の流れ（インターバル）

スプリントハードルのインターバルは3歩

110m ハードル

スプリントハードルはインターバル間をすべて3歩で駆け抜けるため、10 台すべてのハードルを同じ側の足で踏み切ることになる

400m ハードル

走力がつけばストライドが広がり、「インターバルがつまる」という課題が出てくる。ハードルという競技は常にそのせめぎ合いでもある

400mHはスピードやレースの前後半で変わる

レーン上に第1ハードルから順に10台のハードルが並べられ、ハードル間のインターバルは種目によって異なる。男子110mハードルは9．14m、女子100mハードルは8．5m、400mハードルは35mとなっている。

スプリントハードルは、最初の着地足を除いてインターバル間を3歩で行くのが一般的。400mハードルは、その人のストライドやスピードによって、あるいはレースの前後半でインターバル間の歩数が変わってくる。 したがってどちらの足でも同じようなレベルで踏み切りやハードリングができるのが理想だ。

PART 2

コツ+α

スプリント力を生かしたまま跳び越える

ハードル競技の流れ（ハードリング）

ハードル競技は、水平移動でスピードを追い求めながらも、ハードルがあることで踏み切りや着地時に減速を余儀なくされてしまう

ハードルはぎりぎりの高さを越していき、可能なかぎり普通の走りに近い動きをするのがハードリングのコツ

踏み切りから着地までをハードリングと言う

ハードルを跳び越すことをハードリングと言い、踏み切り、リード脚の振り上げ、抜き脚、空中動作、着地といった局面がつながっていく。ハードルは故意で倒さない限り失格にならないが、**ぶつけてフォームを崩すとリズムが乱れるため、スプリント力を生かし、ロスの少ない安定したハードリングを目指す。**

ハードルが高い男子110mハードルのハードリングは、空中でディップ（前傾姿勢）をかけ、女子100mハードルはスプリント動作に近いまま跳び越える。400mハードルのハードリングは、縦プラス横の動きの要素が加わってくる。

コツ +α

ハードル競技について（スプリント）

スプリント力向上がレベルアップのコツ

400m ハードル

ハードル競技は、「縦の動き」と「横の動き」をそれぞれ高めて調和させる。「横の動き」の土台となる走力は、常に磨いていく意識を持ちたい

110m ハードル

走りの考え方やフォームは、短距離走の選手と同じと考えてよい。地面との接地時間をできるだけ短くし、より大きな力を地面に伝える

高校生年代の男子は400mHの方が速い

走るスピードは、距離の短いスプリントハードルの方が高いと思いがちだが、男子の高校記録を比べると、400mハードルの方が平均速度が速い（世界記録や日本記録は両種目間に差はほとんどなく、女子は全般的にスプリントハードルの方が速い）。

さらに400mハードルは、レース前半に平均よりも高いスピードで走らなければならない。このことから持久力が重要に見える400mハードルの方が、**高いスピードでの踏み切り技術が必要になり、短距離走者のような高いスプリント能力を持っていた方が有利になる。**

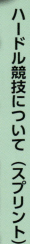

コツ 06

ぎりぎりの高さを狙って跳び越える

ハードリングの基本フォーム（スプリントハードル）

勢いよく走りながら、踏み切りの準備に入る

体を浮き上がらせないためにもハードルの遠くから踏み切る

リード脚を前に伸ばし、ぎりぎりの高さを越えていく

上体を前傾させ空中での重心を低く押さえる

ハードルは、強くぶつかればそれだけブレーキが働き、スピードが落ちる。つまり、普通の走りに近い動きをしながら、ハードリングではぎりぎりの高さを越えていくのが理想と言える。

踏み切りはハードルの少し遠くから踏み切る方がスムーズに越えられる。**空中姿勢は、とくにスプリントハードルでは、上体を前傾させて空中での体の重心を低く押さえるといい。**踏み切りから横に抜いていく「抜き脚」は、上体を前傾させることで抜きやすくなり、その膝を深く曲げた方が、脚をすばやく前に持っていくことができる。

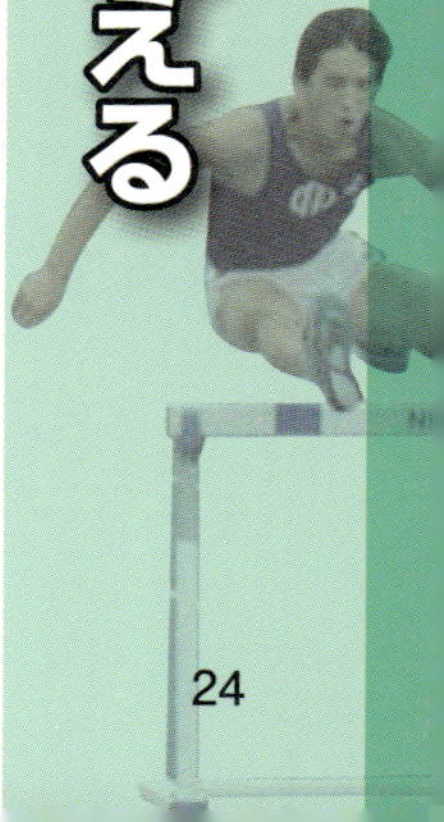

上体を起こした姿勢で、ロスなく次のハードルに向かう

重心の真下で着地し、脚のはさみ込み動作をタイミングよく行う

踏み切った足が抜き脚となって、横からスムーズに抜く

POINT 1 スプリントハードルでは上体をとくに前傾させる

ハードリングの踏み切りから着地までの局面では、物理的に加速することができない。したがって空中では体幹をどの位置に置くのか、意識して重心をコントロールし、着地後からの加速がスムーズにできるようにする。

POINT 2 体の軸をまっすぐにしヒザを広げない

踏み切りからハードルを横に抜いていく抜き脚は、日常生活には使わない動作なので、初心者には難しい。動作のポイントは、体の軸をまっすぐにし、ヒザが広がらないようにすること。さらにつま先が下がらないように気をつける。

コツ 07

ハードルまたぎ越しで基礎的な動きを覚える

縦の動きを身につけてフォームをつくる

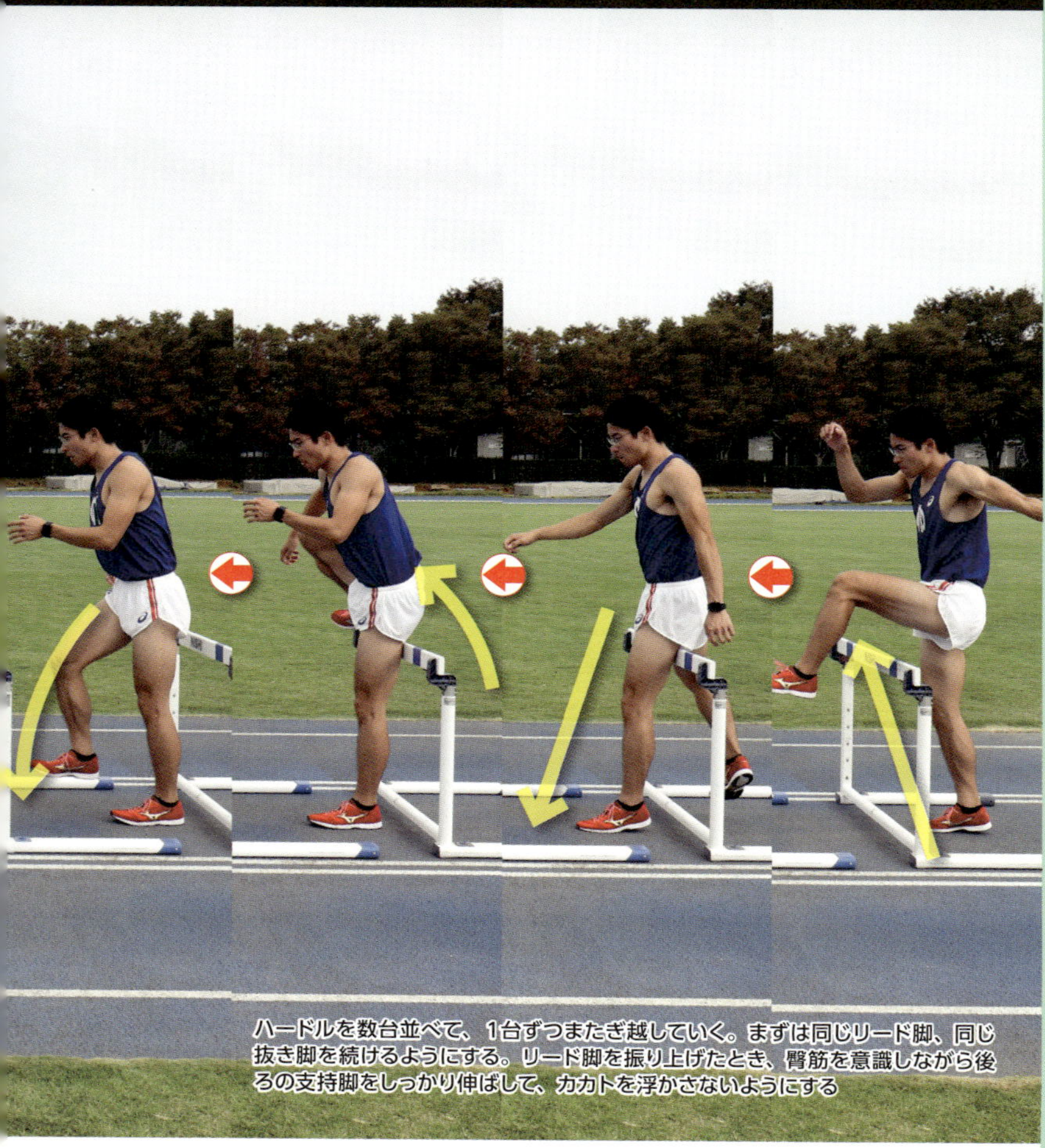

ハードルを数台並べて、1台ずつまたぎ越していく。まずは同じリード脚、同じ抜き脚を続けるようにする。リード脚を振り上げたとき、臀筋を意識しながら後ろの支持脚をしっかり伸ばして、カカトを浮かさないようにする

臀筋を意識しながら歩いてハードルをまたぐ

ハードルは「縦の動き」と「横の動き」を調和させることで競技力が向上する。ハードリングを形成する「縦の動き」をしっかりと身につけて、効率の良いフォームを作っていこう。

最も基礎的な動き作りは、ハードルのまたぎ越し。正しい姿勢を保持し、歩きながらリード脚と抜き足を動作を繰り返していく。ここでは、**支持脚のお尻（臀筋）を意識することがポイントで、それがブレーキの少ない踏み切りや着地につながる。**股関節の可動域を広げる効果もあるので、ウォーミングアップとして行ってもよい。

またいだリード脚は、ハードルの近くに拇指球を中心に足の裏全体で接地する。できるだけ体の真下に足が来るのが望ましい。抜き脚は本来はバーのぎりぎりの高さを通過させるが、ここではヒザを大きく回すようにクリアさせる

POINT 1 支持脚の臀筋を意識して動かす

リード脚を高く上げると、支持脚が曲がりやすくなる。これを曲がらないようにするために臀筋を意識する。支持脚の臀筋がうまく使えないと、踏み切りや着地時に腰や膝が曲がり、まっすぐ支持できない。400mハードルの選手はとくに左右の臀筋を鍛えよう。

POINT 2 カカトを上げてしまうのはNG

リード脚を振り上げたときに支持脚のカカトは地面につけておく。つま先立ちで動作をすると、ブレーキや体重を受け止める際に用いる大腿前面（大腿四頭筋）に頼ってしまうことになる。支持脚に意識を置いて体重をかけると、カカトが浮きにくい。

コツ 08

抜き脚ドリルで苦手意識を克服する

抜き脚のトレーニング

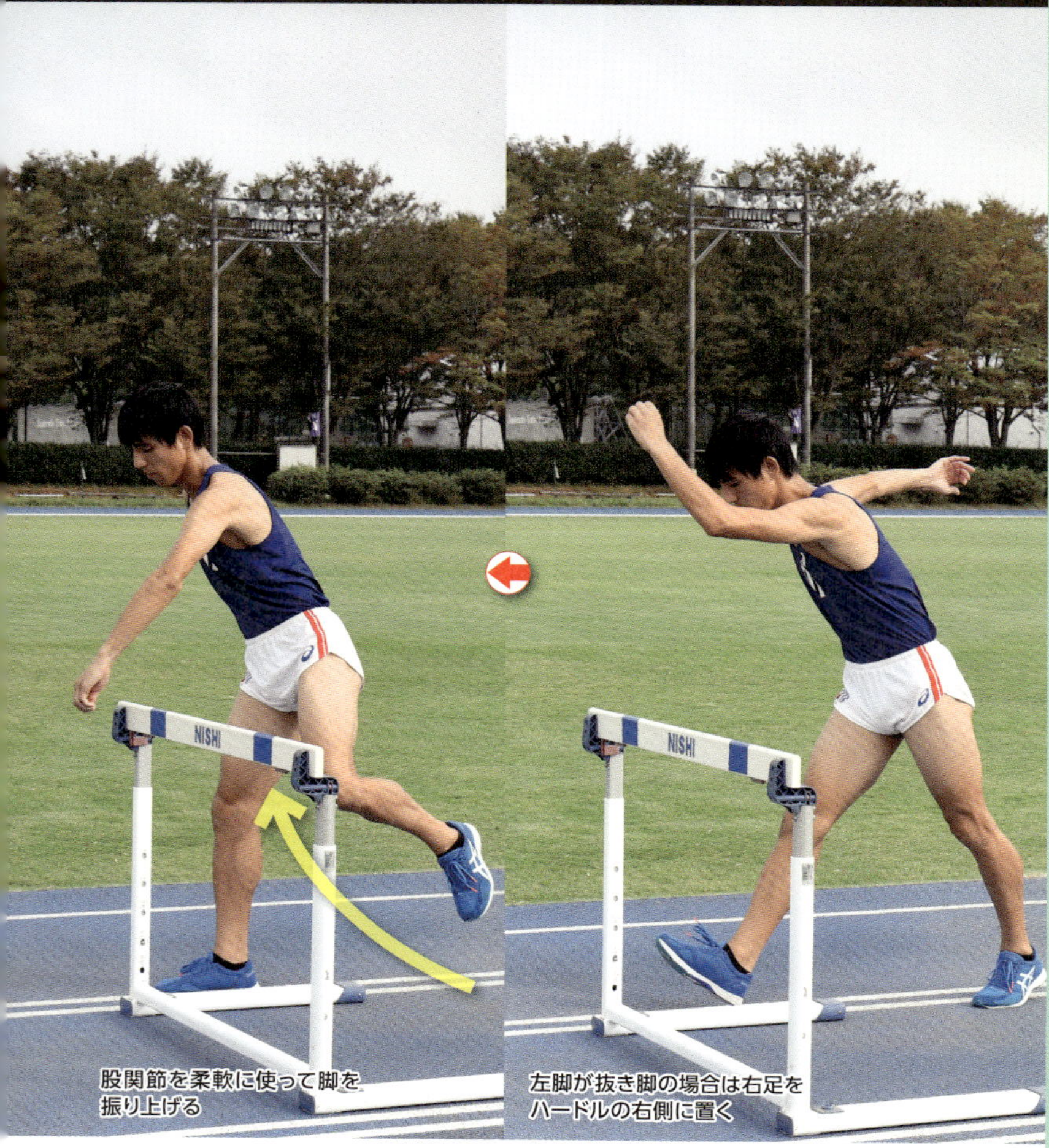
股関節を柔軟に使って脚を振り上げる

左脚が抜き脚の場合は右足をハードルの右側に置く

遠くから踏み切り遠くに着地する

抜き脚に苦手意識があって後半に失速するようなら、股関節が硬いなど柔軟性の不足や、フォームが悪く、脚が後ろに流れたりすることで抜き脚が遅れ、リズムの悪いハードリングになっていることが考えられる。抜き脚動作はハードル特有の動きであるため、ドリルなどで意識的に練習しなければならない。

抜き脚が右足ならハードルのやや左側に、左足ならやや右側に立ち、抜き脚でまたぐ。このとき、実際のハードリングに近づけるためにも、できるだけハードルの遠くから踏み切り、できるだけ遠くに着地するのが望ましい。

前に持ってきた抜き脚は、
体（重心）の真下に着地する

頭から支持脚のカカトまでをできるだけまっすぐにし、
折りたたんだ抜き脚を横からスムーズに前に送る

POINT 1 目的に応じて高さやインターバルを変える

ハードルを複数台並べて行う抜き脚のトレーニングでは、ハードルを低くし、インターバルを広げることで、スプリントにつながる「横の動き」を意識しやすくなる。縦の動きを意識したければ、高いハードルで、インターバルを狭めればよい。

POINT 2 400mハードルでは抜き脚を直線的に動かす

ハードルがスプリントハードルほど高くない 400mハードルでは、ハードリングの局面での水平移動が大きくなる。したがってスプリント動作に近づけるために、抜き脚は回さず直線的にハードル上まで持っていき、振り下ろす。

コツ 09

リード脚のトレーニング

ヒザをハードルに最短距離で近づける

ヒザを最短距離でハードルに近づける

踏み切り脚がそのままリード脚になる

スムーズな加速につながるように着地する

ハードルを越える際、振り上げて前に伸ばす方の脚をリード脚という。リード脚の動きとしては、**走る姿勢をできるだけキープしたまま、踏み切った直後からリード脚の膝を最短距離でハードルに近づける。**リード脚は、できるだけ地面に対して平行に入らないと、無駄にハードルを高く越えることになってしまう。

さらに、リード脚は高く上げようとする意識のみでは、ヒザが曲がり、腰が落ちてしまう。支持脚は地面を強く押してからリード脚を上げてみる。スムーズな加速につながる振り上げや着地を心がける。

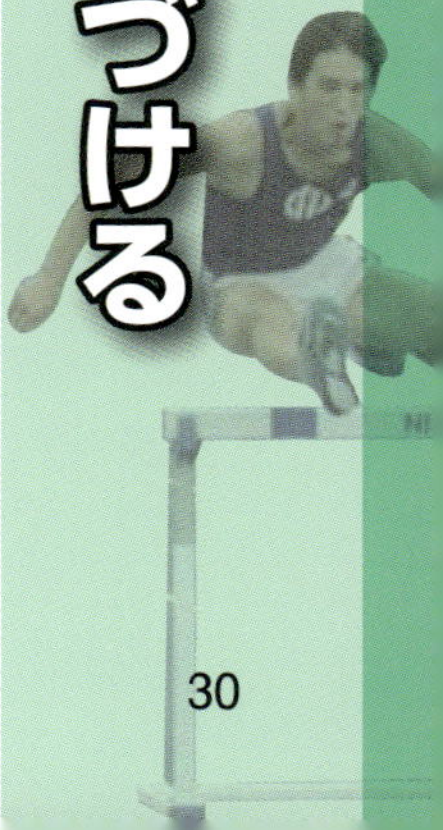

バーをクリアしたリード脚は、
体（重心）の真下に着地する
腰を高く保ち、ヒザを顔の方に
高く引きつける

POINT 1 筋力や柔軟性の欠如はリード脚の課題になる

リード脚が高く上がるものの、腰が落ちてしまうという人は筋力面で問題がある。リード脚が上がらず、支持脚のヒザが曲がってしまうという人はハードル種目に最低限必要な柔軟性が欠けている。これらは地道なトレーニングで改善していくしかない。

POINT 2 腰の位置を高く保ち脚を高く振り上げる

リード脚は、踏み切りから始まるハードリングの前半部分。ここで脚をバーにぶつけたり、バランスを崩したりすると、減速や転倒という事態を招いてしまう。背筋をしっかりと伸ばし、腰の位置を高く保ったまま、脚の振り上げの高さを出していく。

PART 2

コツ 10

前方に勢いよく跳ぶ気持ちを持つ

横の動きをより意識する

抜き脚のトレーニング

横の動きの要素を多くするため、できるだけ遠めから踏み切る。腕の反動を利用する

リード脚のトレーニング

ハードルのやや遠めから、ヒザを最短距離でハードルに近づける

頭から支持脚のカカトまでをまっすぐにし、
やや前傾姿勢になる。抜き脚を横から前に送り、
できるだけハードルの遠くに接地する
NISHI

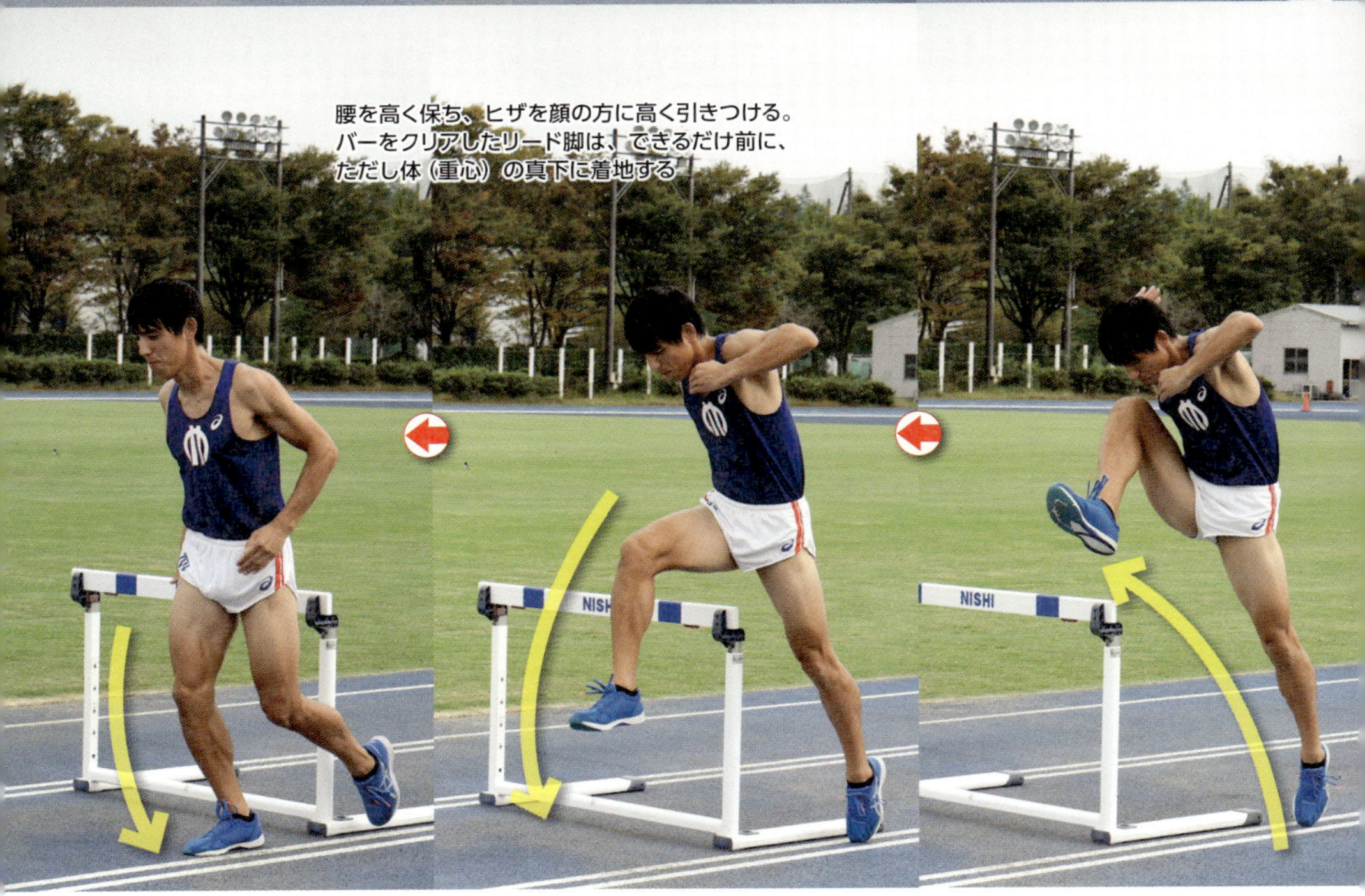
腰を高く保ち、ヒザを顔の方に高く引きつける。
バーをクリアしたリード脚は、できるだけ前に、
ただし体（重心）の真下に着地する
NISHI
NISHI

コツ11

インターバルをリズム良く3歩で駆け抜ける

インターバルの感覚をつかむ

1回目のタ・ターンの「タ」で着地する

リード脚が着地足になる。

タ・ターン、タ・ターンと2歩ずつで刻む

スプリントハードルは、トップ選手のパパパパッ!という速い動きのイメージで跳ぼうとすると着地でつぶれてしまう。インターバルを最後まで3歩でいけるかどうかで記録はかなり違ってくるので、初級者ほどその点にこだわりたい。

低いハードルやミニハードルを通常の距離で数台設置し、ハードリングの着地を含めてインターバルを4歩と考え、タ・ターン、タ・ターンと2歩ずつで刻む。

1回目のタ・ターンの「タ」で着地し、2回目のタ・ターンの「ターン」で上方向に踏み切る。リズム良く行けるようになったら、1つ1つの動きを速くしていく。

1回目のタ・ターンの「ターン」がインターバルの1歩目。力強く加速する

2回目のタ・ターンの「タ」で、次に踏み切る意識を高め、リズム良く行けるようになったら速さを追求する

2回目のタ・ターンの「ターン」が踏み切り。

コツ 12

腕の使い方を磨いて動きを洗練させる

リード腕（リードアーム）のポイント

鏡の前で動かしてリードアームの感覚をつかむ

リード脚（振り上げ脚）と逆側の腕をリードアームというが、ハードリング時に意識すると、上半身の使い方が向上する。**基本動作としては、跳んだ時は前に突き出し、体の上下動を押さえる。ハードルを通過したら横から引くことで推進力に変える。**

ただし、腕の使い方は個人によって異なるため、全体の調和をみながらリズムを取ることが重要。リードアームのイメージを作り、鏡の前などで動かして感覚をつかめたら、歩きながら動作してみて、次に実際にハードルを跳びながら試してみる。

POINT 1 ハードリング時にリードアームを意識すると上半身の動きが洗練される

ハードリングでリード脚を前に伸ばしたタイミングで、リードアームを前に突き出す

伸ばしたリードアームを下におろすのではなく、ひじから横に引いていく

横に引くことで前方向に進もうとする力が出て、ロスを最小限に抑えられる

POINT 2 リードアームと逆の腕は横に引かない

横に引くのは基本的にリードアームだけ。逆の腕も横に引いてしまうと、フォーム全体のバランスが崩れ、流れるようなハードリングにならない。リードアームの逆側の腕は、インターバルを走るときと同じ感覚で、横ではなく前後に力強く動かす。

POINT 3 両肩がブレてしまうと着地でブレーキがかかる

リードアームを横から後ろに大きく引きすぎて、肩が開いてしまうのはNG。ハードリングは、踏み切りから着地まで両肩がハードルに正対したまま完結するのが基本。腕を引きすぎて体の軸が崩れると、着地でブレーキがかかってそこから加速できない。

バウンディング 大きく伸びやかにバウンドする

体のバランスが崩れないポイントに着地する

基礎的なジャンプ力を養えるバウンディングは、ウォーミングアップとしても効果的

大きなバウンディングでストライドを確保する

左右の足で交互に跳躍しながら前に進むバウンディングは、基礎的なジャンプ力を養う狙いがある。また、空中での動作の間の取り方を理解しやすく、大きくバウンドできるということは、ストライドの確保と維持につながる。

ポイントは、良いところに着地ができるかどうか。**欲張って前に、前に行こうとするとつぶれてしまったりするので、腰がしっかり入る位置で着地することでバネが生まれる。**空中で1回止まるように間を取れれば、大きく伸びやかでダイナミックな動きになる。

腕のタイミングと合わせて、
大きくのびやかに弾んでいこう
空中で一瞬、止まるような
イメージで間を取る

POINT 1 腰を入れて着地し生まれたバネを拾う

腰が入った状態で、着地したときに上体がブレないようにする。欲張って遠くに着こうとすると、つぶれて次のバウンドに移れない。良いところで着地できれば自然とバネが出てくるので、そのバネを拾うようなイメージでポーンと跳べばいい。

POINT 2 空中では間を取って次の動作に備える

空中では急がず、少し力を抜く。1回止まるように間を取って、次の動作に備えるぐらいの余裕を持ちたい。跳ねすぎ、ヒザの上げすぎはバランスが崩れやすくなるのでNG。動きは上方向にダイナミックで大きく、しかも楽に弾んでいるように見えるのが理想。

コツ +α

バネを活かして横方向へ速く動く

バウンディング（横の動きを強調する）

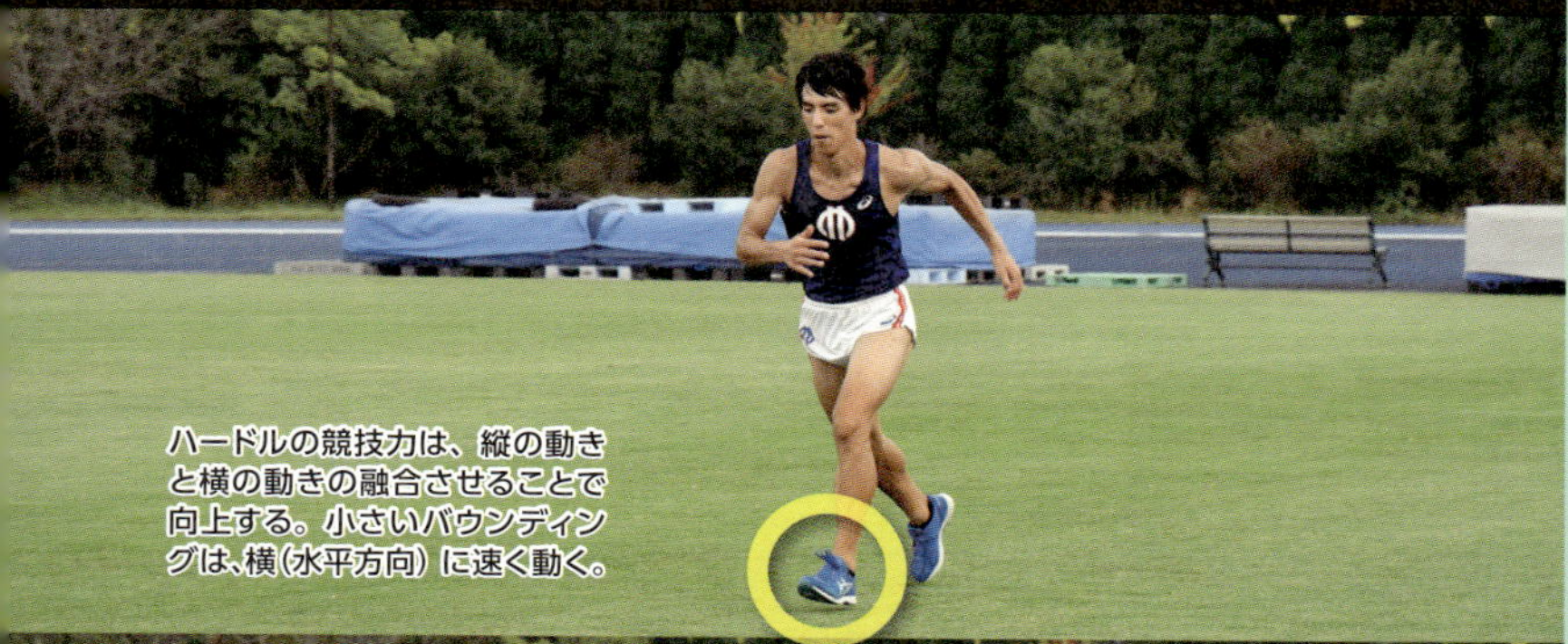

ハードルの競技力は、縦の動きと横の動きの融合させることで向上する。小さいバウンディングは、横（水平方向）に速く動く。

基礎的な上方向のバウンディングから、バネを水平方向に出していく。走る動きに近いままでOK。

空中で1回止まるように間を取るのは、上方向のバウンディングと同じ。欲張って前に行こうとしない。

次の動作に移りやすいところに着地する。小さいバウンディングは初級者には難しいので、まずは上方向のバウンディングから始めよう。

PART 3

各種目別のテクニックをマスターする

PART 3

コツ 14

各種目の違いと関連するポイント

スプリントハードルと400mハードルの違い

走力が重要なのは ハードル競技全般の共通点

スプリントハードルと400mハードルでは、スタート時の姿勢や走力が重要である点、「着地でブレーキをかけない」というハードリングの考え方など、いくつかの共通点がある。一方、技術やトレーニング法で異なる部分も多い。また、スプリントハードルでも男子（110mハードル）と女子（100mハードル）ではハードルの高さの違いからハードリングの考え方や方法がだいぶ違う。

まずはハードラーとしての基礎を理解して基本動作から取り組み、その上で種目ごとの専門的なトレーニングによってレベルアップを図っていく。

POINT 1 スプリントハードルは短距離走のように走る

スプリントハードルは、短距離走のように肩や腰などをハードルに正対させた状態で走る。「スピード＝ストライド×ピッチ」と理解すればよい。スピードを落とさず、体の軸を崩さないように踏み切って、着地で体が前に倒れ込む力を加速力につなげる。

POINT 2 男子110mハードルは深くディップをかける

ハードリングは高く跳び上がるとスピードが落ちるため、体が浮かないように空中で上体を前傾させる。同じスプリントハードルでも、ハードルが高い男子はとくに深くディップをかける（前傾姿勢になる）が、女子はスプリント動作に近いまま跳び越える。

POINT 3 400mハードルは横の動きが大きくなる

400mハードルは、スプリントハードルよりも横の動き（水平移動）が大きく、踏み切りも着地もハードルから遠くになるのが基本。ただし、レース前半と後半の跳び方は異なってくるため、どんな踏み切り位置からでも跳べるようにしておくといいだろう。

+1 プラスワンアドバイス

技術とスピードを同時に追い求めて向上させる

ハードル競技は、ハードリングという技術的要素を磨きつつ、同時にスプリント力も向上させていかなければならない。得手不得手は人それぞれだが、どちらかに偏らないようにしたい。

コツ 15

スタートの善し悪しがレース結果を左右する

（ハードル全種目共通）スタートのポイント

ハードルが遠いと感じる場合は、両足を後方に下げて腰の位置をやや低くする

ハードルが近いと感じる場合やすばやく上体を起こしたい初級者は、腰の位置をやや高くする

スタート姿勢を調整し速度上昇をスムーズにする

速度上昇をスムーズに行うにはスタートが重要だが、シーズン序盤やレースから遠ざかっている時期、「勝ちたい」と気持ちが前面に出ているときなど、スタートの姿勢に違和感を覚えやすい。そんなときはストライドやピッチを変更する前に、スタート姿勢を見直そう。**基本のスタート姿勢から腰を少し上げると、重心が高くなって1台目のハードルに入りやすく、インターバルもより広がる。**他にも、スターティングブロックの前後位置や角度、地面につく手の幅などを調整することによって、スタートの感覚を変化させられる。

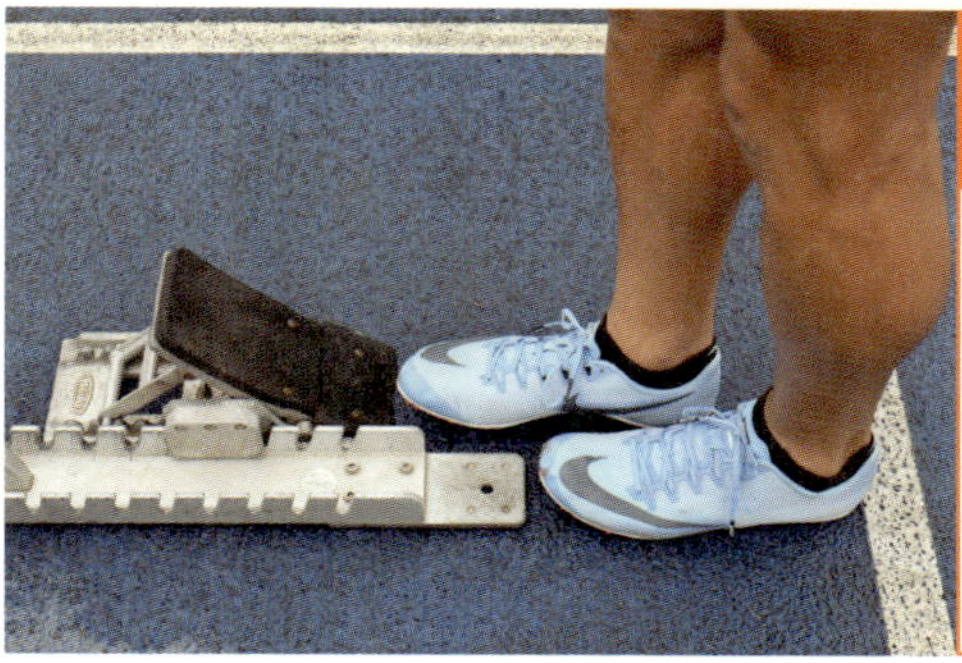

POINT 1 ハードルが遠いときは両足を後ろに下げる

アプローチ後、踏み切ったときにハードルが遠く感じたら、スターティングブロックの前後幅を広げるか、両足を後ろに下げる。脚力がやや必要になるが、1、2歩目が大きく出られるので、結果的にストライドが広がってハードルまでの遠さを解消できる。

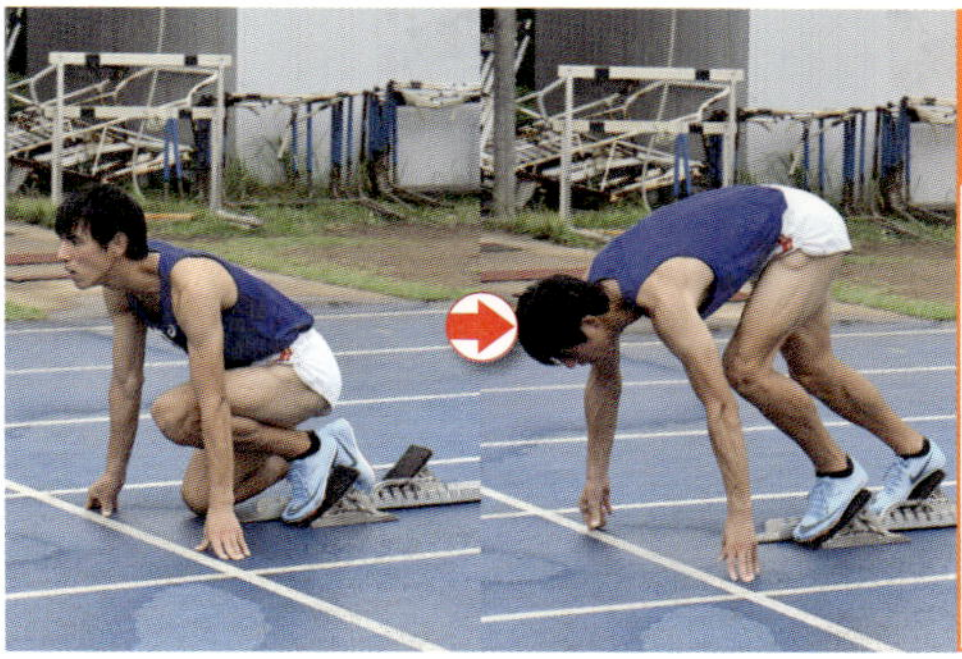

POINT 2 スタート姿勢は日頃からチェックする

久しぶりにスターティングブロックからのスタート練習をすると、しっくりこない場合がある。これは速く強く跳ぼうという意識ばかりが先行して、重心位置が微妙にずれている可能性が高い。スタート姿勢は他の人に見てもらってこまめに確認したい。

POINT 3 スタート方法はレベルに応じて変える

ハードル競技を中学や高校から始めて以降、スターティングブロックの位置を一度も変えたことがないという人がいるが、それはあまりよくない。体格の変化、技術や体力、記録のレベルアップに応じて、その都度ブロックの位置を見直していく必要がある。

+1 プラスワンアドバイス

手のつく幅は肩幅で重心を高く保っておく

短距離走では低い姿勢からスタートするために、地面につける手の幅を広く取ることもあるが、ハードル競技ではとくに初級者は肩幅程度にして、重心を高く保っておく。

コツ 16

スプリントハードルの走り方をチェックする

スプリント種目とハードル種目の走り方の比較

低い姿勢でスタートするのはスプリント種目と同じ

スプリント種目のスタートは、低い姿勢で飛び出す。
上体の角度は 40 ～ 45 度が良いとされている

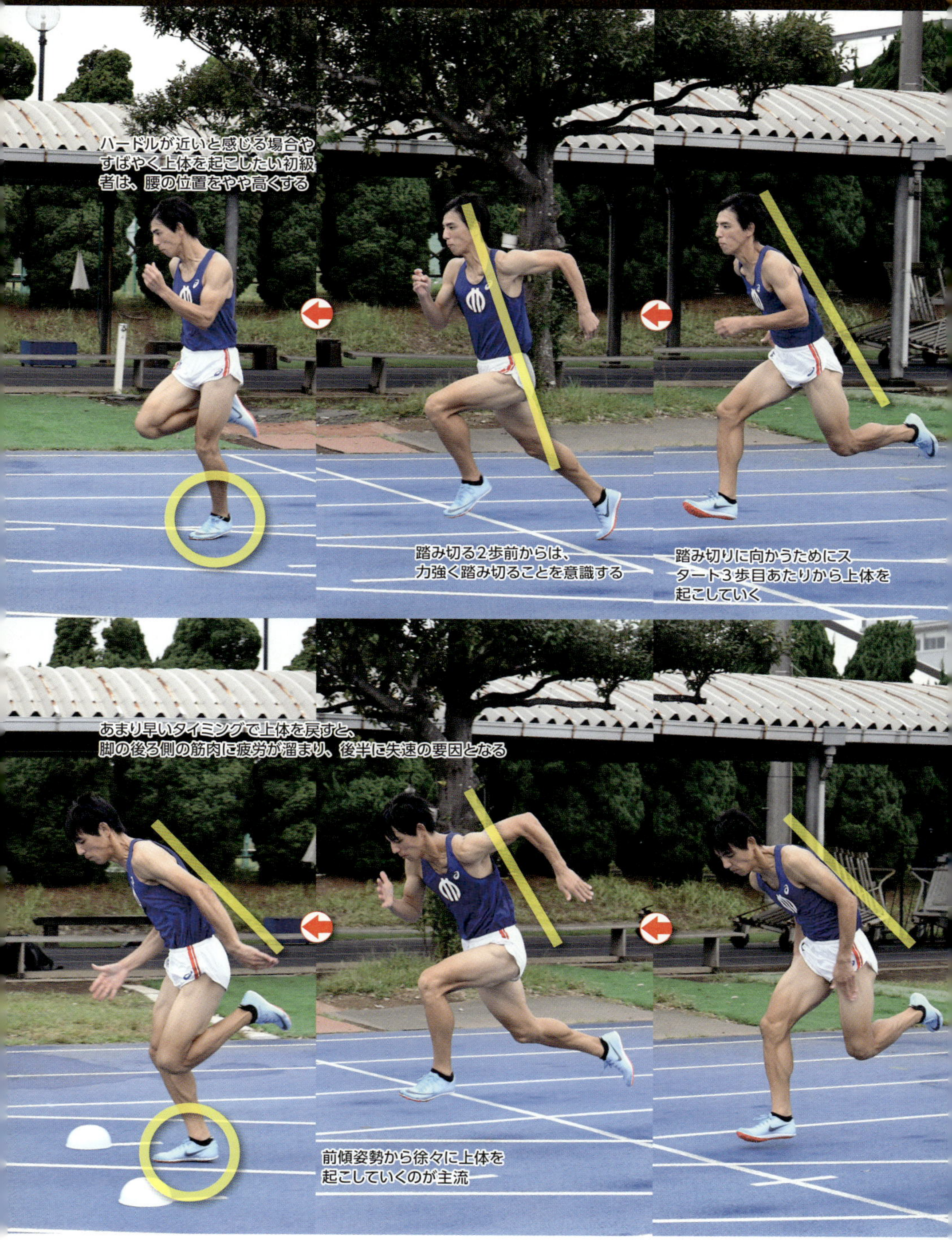
ハードルが近いと感じる場合やすばやく上体を起こしたい初級者は、腰の位置をやや高くする
踏み切る2歩前からは、力強く踏み切ることを意識する
踏み切りに向かうためにスタート３歩目あたりから上体を起こしていく
あまり早いタイミングで上体を戻すと、脚の後ろ側の筋肉に疲労が溜まり、後半に失速の要因となる
前傾姿勢から徐々に上体を起こしていくのが主流

コツ17

1台目までの8歩でうまくリズムに乗る

（男子110と女子100）スタートから1台目まで

力強く踏み切るために3～5歩目で微調整を行う

スタートフォームの延長で、2歩目までは大きく変化させない

3～5歩目の局面で歩幅を調整する

スプリントハードルは通常、1台目までを8歩で行く。まずはこの局面でリズムに乗りたいが、体力や走力がないとオーバーストライドなり、その後のリズムが狂いやすい。まずは自分のリズムをしっかり身につけることが大切だ。

ハードルが遠い、踏み切りが近くなってしまうという人は、アプローチまでのステップを見直すといい。**歩幅の調整は3～5歩目の局面で行い、踏み切りの2歩前を素早く力強くすることを心がける。**スタートから1台目の入り方のアプローチ練習がうまく行かなければ、ハードルの高さを低くして行っても構わない。

1台目をうまく跳べると、
勢いに乗っていける
6～8歩目までは距離を変化させない。
踏み切り2歩前をすばやく力強く

POINT 1 スタンディングスタートから走り始めてみる

スプリントハードルはハードリングに入る局面で、重心を上げないといけない。そのためスプリント種目のように極端な前傾姿勢からスタートするのは得策ではない。初級者はスタンディングスタートから走り出すことでスムーズに重心移動できる感覚を知ろう。

POINT 2 片手をついた体勢から走り始めてみる

スタンディングスタートの体勢ほど重心は上がらないが、片手だけをついて行うスタートでもそれに近い感覚は得られる。後ろに上げている腕を勢い良く前に振ることで、鋭いスタートも可能。スターティングブロックがないときにできるトレーニングだ。

コツ 18

(スプリントハードル) インターバルのポイント

インターバルは4歩とし1歩目から加速する

着地足を1歩目と考え、そこから加速させる意識を持つ

一般的な「インターバルは3歩」では、この着地足をカウントしない

着地して走るのでなく着地前から走る準備を

スプリントハードルで初級者や走りのスピードがない人は、インターバルが「○台目までしか3歩で行けない」ことが多い。コツ11を参考に練習しよう。さらに上達を目指すなら最後まで3歩で行くことを意識するあまり、インターバルごとにスピード低下を招かないか注意する。

一般的に「3歩」というのは、着地脚を1歩とカウントしていない。このせいで、最も速度低下が起こる着地の局面で再び加速しようという心構えが希薄になっている。**そこでインターバル歩数は4歩と考え方を変え、1歩目(着地)から加速する意識を持つとよい。**

ハードリングをスムーズに跳ぶことも、
減速を抑えた効率良い走りにつながる

タ・ターン、タ・ターンのリズムで行くと
イメージしやすい

POINT 1 重心の真下に接地し脚が流れないようにする

インターバルを最後まで「（着地足を含めて）4歩」で行けないという人は、どうしてもヒザ下からの振り出しが大きくなり、足を重心よりかなり前に接地するランニング動作になりがち。重心の真下に接地するイメージで、脚が後方に流れないように意識する。

POINT 2 着地足から1歩と考え「4歩」で駆け抜ける

インターバルは「3歩で」というのが一般的な概念。ただ、これは最も速度低下が起こる局面である着地の1歩が数えられていない。着地足を1歩目とし、そこから「1、2、3、4」あるいは「1、2、1、2」と数えるとリズムを取りやすい。

コツ 19

400mハードルのスタートのポイント

「2重視覚」を保って1台目を目指す

どのように視線を定めるかが1台目攻略のカギ

1台目の重要性とスタート姿勢の考え方は、スプリントハードルとほぼ同じ（コツ15参照）。400mハードルは距離が長いため、普段の練習では1台目が合わないと、複数台跳ぶメーン練習までたどり着けない。そうした失敗をなくす方法の1つが、視線の置きどころだ。

スタートから約5m地点では、手前の大きな矢印を見るようにし、その後はハードル付近を何となく視界に入れつつ、小さい矢印群を見ながら歩を進める。2重視覚を保ってリズムやストライドなどの感覚を心の中に置くことで、1台目を跳び越えられるようになる。

POINT 1 スターティングブロックはコーナーを意識した配置にする

400mはスタートからすぐにコーナーへ入るので、スターティングブロックの配置にも考慮する。真っすぐより、ややコーナーに向けて角度を調整。練習時から使用し、最適な蹴り出しとコーナーへスムーズに入れる角度などを把握しておくこと。

POINT 2 周辺を見る広い視野で1台目を捉える

1台目に合せるためには、どこを見て走るかが重要だ。最初から1台目を凝視した狭い見方より、1台目を目で捉えながらコースの空間も同時に視野に入れる。広く周辺視野を持つことで空間認識能力も働き、1台目へのアプローチがスムーズにできる。

+1 プラスワンアドバイス

重心の高いスタート姿勢で1台目へアプローチする

スムーズに1台目のハードルに入るためには、スプリント走のときよりも腰を少し上げ、重心を高くするのが効果的。スターティングブロックの前後位置や角度を調整し、1台目と2台目の中間あたりでトップスピードを迎えたい。

コツ 20

ダイナミックに跳ぶかピッチを生かすか選ぶ

400mハードルのハードリングの比較

ピッチタイプ
ピッチタイプはストライドは広くないが、脚を速く回転させる

ダイナミックタイプ
ダイナミックタイプはストライドが広く、大きくゆったりした動作になる

踏み切りから着地までの動きを連動させる

400mハードルのハードリングは、レースの前半と後半で変わったり、ストライドが伸びたりスピードが上がれば、インターバルの歩数が変わるため、それに応じた跳び方をする必要がある。

大きなストライドで少ない歩数で行く場合は、ハードルの遠くから踏み切り、遠くに着地する。ゆっくりダイナミックに水平移動する。多めの歩数で行く場合は、遠くから跳んで近くに着地することで歩幅を調整し、脚を速く回転させる。トップ選手は前者を目指すのが基本だが、一般の高校生や大学生は、自分に合ったハードリングを見つけていこう。

遠くから跳び、ダイナミックタイプに比べてハードルの近くに着地する

遠くから跳び、ピッチタイプよりもハードルの遠くに着地する

POINT 1 着地でブレーキをかけないように跳ぶ

着地が遠くても近くても、ハードルへの踏み切り角度はなるべく抑えて、できるだけハードルバーのすれすれを跳び、着地でブレーキをかけないハードリングを心がける。着地から抜き脚でも距離を稼ぎ、常に加速するイメージを植えつけよう。

POINT 2 目線は踏み切りから着地まで変えない

ハードリングの際、目線を大きく変えてしまうと、自分がどの位置にいるのかわからなくなりやすい。また、目線を大きく下方向にすることで、着地時のブレーキに気づけなくなってしまう恐れもある。目線は踏み切りから着地まで変えない。

コツ 21

自分に合った歩数でインターバルを走る

400mハードルのインターバル（歩幅・ストライドの調整）

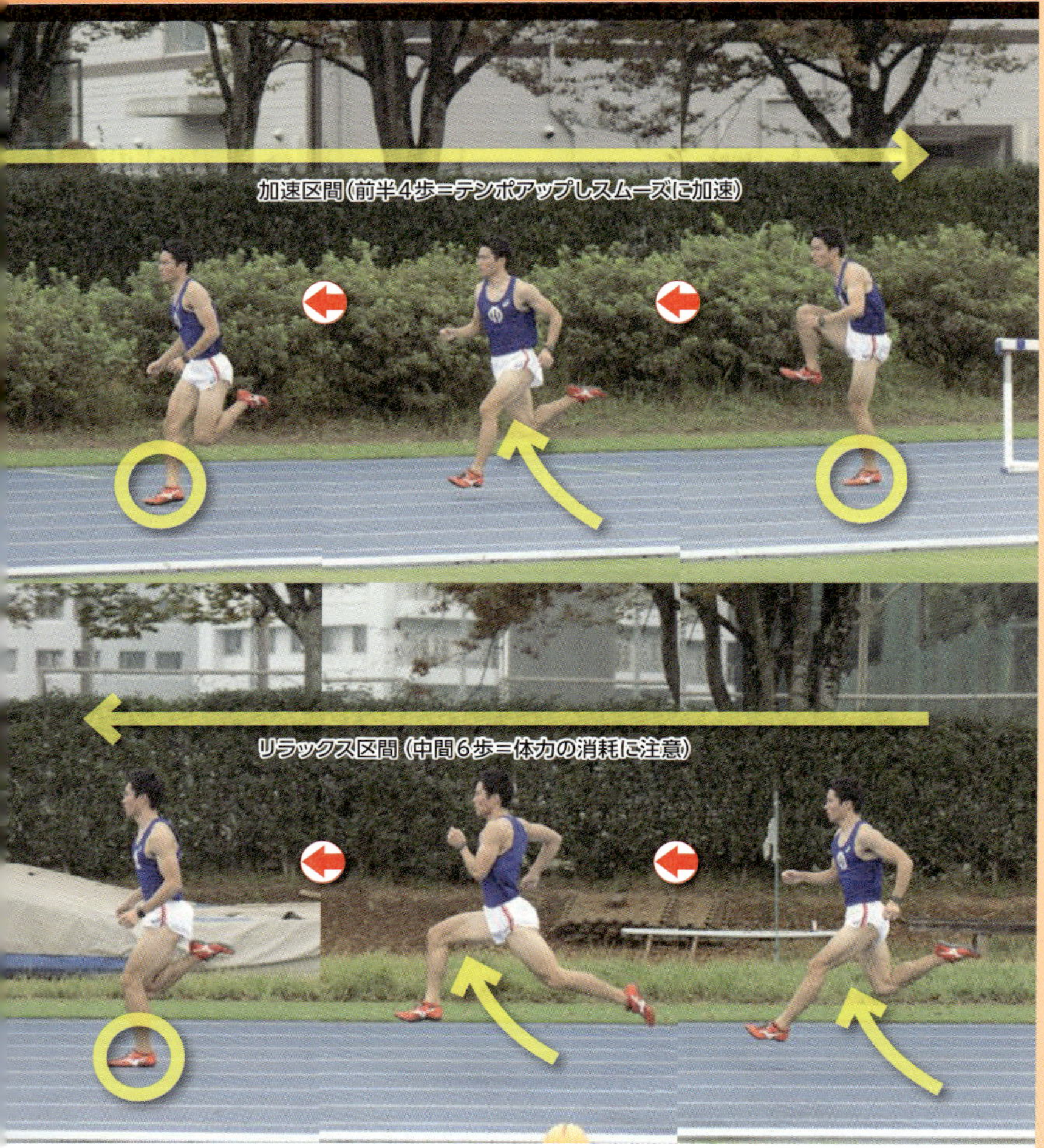
加速区間（前半4歩＝テンポアップしスムーズに加速）
リラックス区間（中間6歩＝体力の消耗に注意）

軸となる15歩をどれだけ伸ばせるかを考える

400mハードルのインターバルは、13〜17歩（初級者のレース後半は19歩）の間で自分の体格や走り合った歩数を決める。15歩で走るなら、**最初の4歩でハードリングの際に減速した分を取り返し、中間の6歩では体力を消耗しないようにリラックスして走る。後半の5歩でストライドを調整し、スピードを落とさないように次のハードリングに入っていくという走り方をする。**

最初からレース前半を13歩でいけることに越したことはないが、そうでない人は15歩をどれだけ伸ばせるかを考えて戦術と戦略を練っていくのがよい。

POINT 1 1歩のストライド至適距離の目安

1歩のストライド至適距離

インターバル目標歩数	練習ストライド長
13歩	2.5〜2.6m
14歩	2.3〜2.4m
15歩	2.0〜2.2m
16歩	1.8〜2.0m
17歩	1.7〜1.9m
18歩	1.6〜1.7m
19歩	1.5m

400mハードルは総体的に見れば、レース時の歩数が少ないほどが記録が良い。しかし、強引にストライドを伸ばしても、バウンディングのようになりスピードが落ちてしまう。表を参考にしながら、レース戦略を練ったりストライドを伸ばしていこう。

POINT 2 リズムは最後まで一定に保つようにする

400mハードルはレース後半にストライドやスピードが変化するが、リズムは最後まで一定に保つのが理想。2台目を越えたあたりで直線に入って「行くぞ！」と気合が入り、3〜4台目はリラックスできる。ここでリズム良く走ることが好記録につながる。

カーブの踏み切りは右脚踏切が有利

（400ｍハードル）カーブでのハードリング

左脚踏み切りの場合は、ハードル手前で右肩前へ内傾をとりながら走る。ハードルの中央を越えるようにコース取りをし、トラックの外側に着いてクロスするように踏み切る。

右脚踏み切りはレーンの外側を走らなくてよい

カーブのハードリングは、内傾が取りやすい右脚踏み切りが有利と言われる。逆に、左脚踏み切りは、レーンの外側から行き、左脚で踏み切って内側に走り込むような走り方になると言われるが、**左踏み切り脚を外側にクロスさせるように踏み切り、体幹をトラック内側に向けるように跳ぶと、最短コースで走ることができる。**

もちろん、どちらの脚で踏み切るかは自由。ただし、レース後半のカーブでは逆脚によるハードリングを行う必要も出てくるため、それぞれのハードリングをマスターしておきたい。

抜き脚を無理に前へ持っていこうとせず、
上半身をトラックの内側に向けて自然な流れで持ってくる

空中動作はリード脚のつま先を内側に入れるようにして外側へ振られるのを抑制させる

POINT 1 左脚踏み切りでは右肩前へ内傾をとる

少しだけ動作が難しい左脚踏み切りの方が得意という人は、無理に逆脚へ変えなければならないということはない。左脚で踏み切る場合は、ハードル手前で右肩前へ内傾をとりながらハードルに向かい、左脚をクロスさせるように踏み切り準備へと移行する。

POINT 2 抜き脚がハードルの外側に出ないように注意

左脚踏み切りの空中動作は、リード脚のつま先を内側に入れるようにして外側へ振られるのを抑制する。抜き脚である左脚を無理に前へ持っていこうとせず、少し遅らせた感じで上半身をトラックの内側に向け、自然な流れで抜き脚を持ってくる。

PART 3

コツ 23

逆脚のハードリングも積極的に取り入れる

（400ｍハードル）利き脚と逆脚の使い方

まずは利き脚でのハードリング技術を磨く

ハードルが上達するにつれ、逆脚のハードリングは必須となる

細かく足を合わせる〝チョコチョコ減速〟はNG

利き脚だけで行くか、逆脚を使うべきかは、それぞれに長所や短所があり、どちらがいいとは言えない。ただ、**「ハードル前後でスピードが落ちる」「ハードルの空中動作で頭が上下する」「ハードルごとに疲労する」の3つすべてに当てはまらなければ、積極的に逆脚を取り入れることを推奨する。**ハードル手前で詰まってしまい、小さい歩幅で足を合わせようとする〝チョコチョコ減速〟だけは絶対に避けたい。

歩くときの1歩目や階段の1段目で普段とは逆脚から踏み出すなど、日常生活から意識的に逆脚を使うと効果的だ。

強くぶつかればブレーキが働くので、ぎりぎりの高さを越えていく

利き脚と同じようにスムーズに踏み切り、着地する

POINT 1 キャリアが浅い人は歩数を決めつけない

高校生の場合、シーズンの最中でも突然走力が上がったり、ストライドが伸びたりする。そのため、とくにキャリアが浅い人ほど歩数の決定が技術の固定を招き、大きな記録更新ができない可能性が出てくる。「自分は○歩で」を決めつけない柔軟性を持つ。

POINT 2 次の区間で2歩以上増えることは避ける

高校生の女子はとくにレース前半と後半のインターバル歩数が大きく変化する傾向がある。次の区間で2歩以上増えるようなことはできるだけ避けたい。女子のハードルの高さは男女の身長差からしても低いので、比較的逆脚を取り入れやすい。

PART 3

コツ 24

多くの台数を跳んでハードル技術を高める

（ハードル全種目共通）5歩&7歩ハードル

ハードリングの練習を正規のインターバルで行うのは非効率。ハードル技術を高めるにはより多くのハードルを跳ぶこと

5歩や7歩で駆け抜けハードリングを磨く

5歩ハードルの目的は、ハードリング技術を上げること。ハードルを数台置いて、インターバル間を5歩で跳んでいく。スペースを取らずに多くの台数を置けるので、踏み切りや抜き脚といった各自の課題に応じて効率的に練習できる。また、**ハードリングは全力で走る中で跳ぶことも重要。5歩走る間にスピード感を出し、速い動きの中で正確に跳ぶ意識を高める。**

7歩ハードルは、400mハードル向きのメニュー。正規のインターバルの約半分になり、より横の動きを意識してスムーズなハードリングを獲得できる。

POINT 1 5歩ハードルと7歩ハードルの歩数の違い

5歩ハードルと7歩ハードルは、インターバル間を着地を含めずにそれぞれ5歩、7歩で駆け抜ける。5歩ハードルは走る間にスピードが出るので、ハイスピードでのハードリングを磨けるという点で、スプリントハードル用の練習にもなる。

POINT 2 5歩ハードルは効率よく練習できる

5歩ハードルは、ハードリング技術を上げることが狙い。1回走るごとにより多くの台数を跳ぶことで、「踏み切りを遠くに跳ぶ」「抜き脚をスムーズに行う」「着地で減速しない」など、各自の課題を克服しながらハードリングを効率よく練習できる。

POINT 3 目的に応じて高さや距離を変える

ハードルの高さやインターバルの距離も目的によって変えてもOK。ストライドを伸ばしたければインターバルを広げ、ハードルの高さを低くする。ハードリング技術の向上が狙いなら、インターバルを縮めて、ハードルは正規に近い高さで跳ぶとよい。

+1 プラスワンアドバイス

7歩ハードルは400mハードル向きの練習

7歩ハードルは、歩幅の感覚がわかりやすい3歩や5歩に比べて調整が必要になり、正規のインターバルへの移行もしやすい。長い距離を走るので持久的要素も鍛えられる。

コツ＋α

5歩や7歩できちんと足を合わせる

（ハードル全種目共通）5歩&7歩ハードル

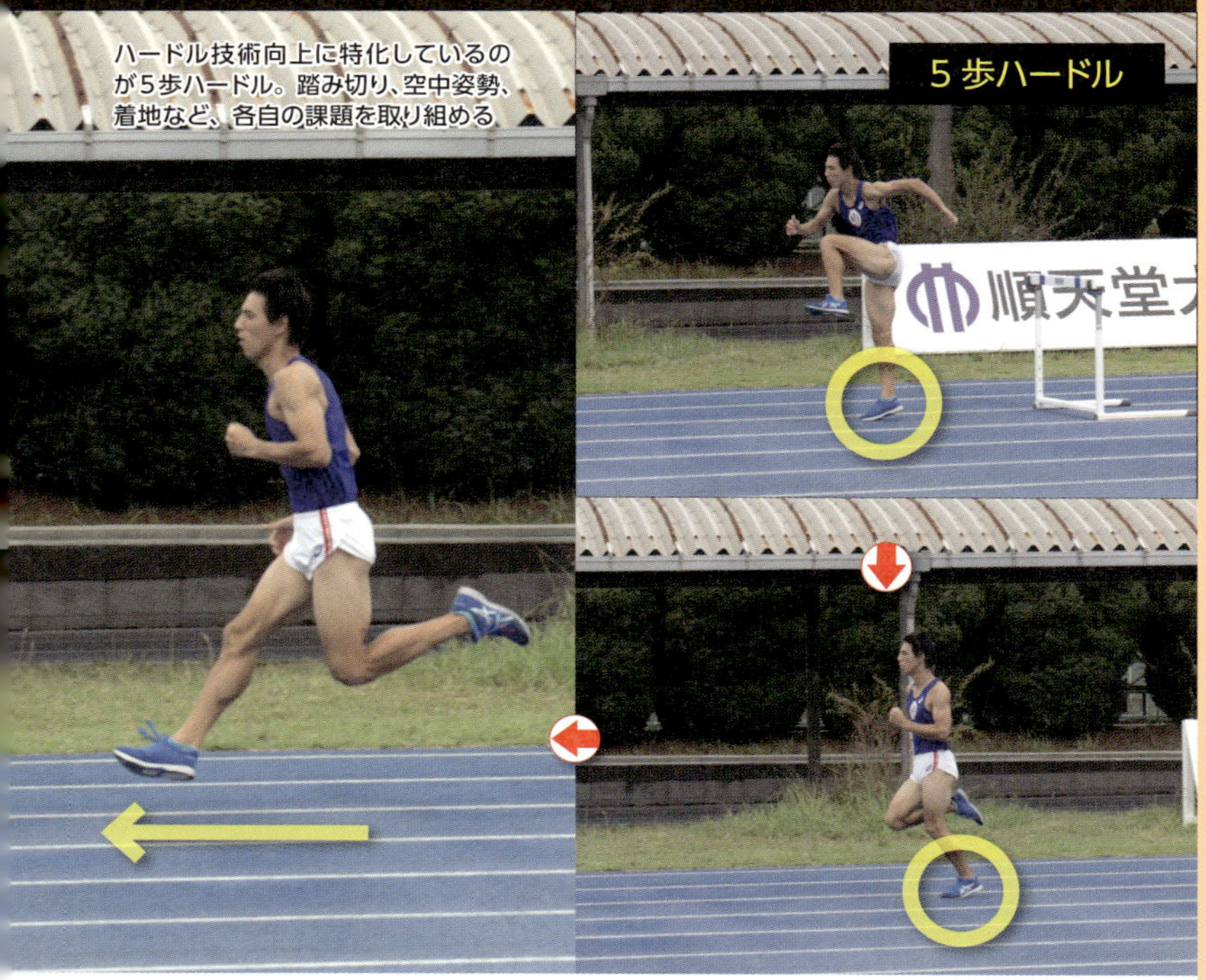

ハードル技術向上に特化しているのが5歩ハードル。踏み切り、空中姿勢、着地など、各自の課題を取り組める

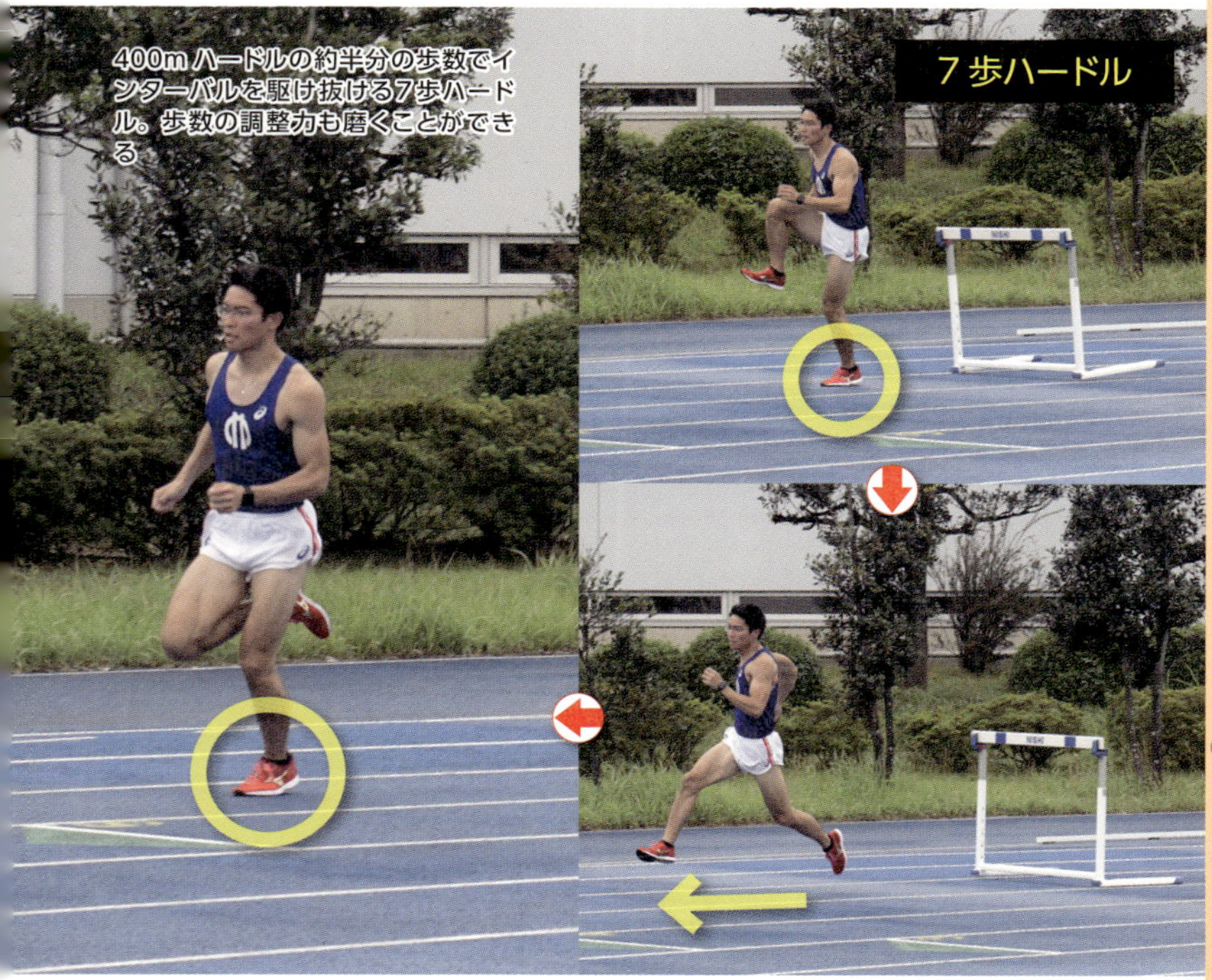

400mハードルの約半分の歩数でインターバルを駆け抜ける7歩ハードル。歩数の調整力も磨くことができる

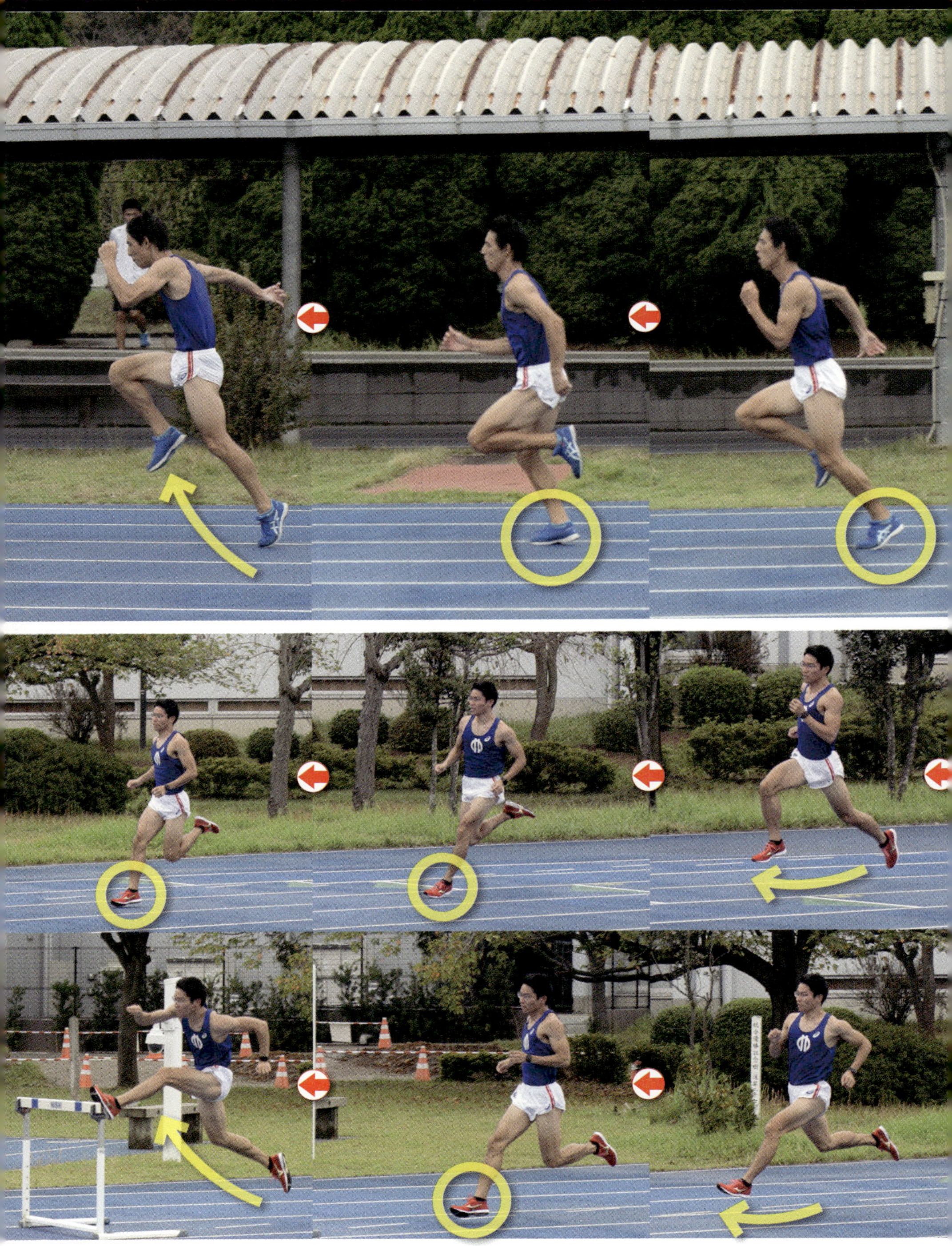

コラム

高校で直面するハードルの高さには少しずつ慣らしていく

スプリントハードルにおいて、中学からハードルをやっている人が高校でも競技を続けると、男子一般用のハードルの高さに戸惑うことが多い。女子はインターバルの距離も広がるため、なかなか対応できないという高校生が少なくない。

高校からスプリントハードルを始めたという人でも、ゴール方向に10台のハードルがずらりと並んでいるのを見たり、実際に走り始めたりしたときにハードルの高さに圧迫感や恐怖感を覚えることが多い。

そうした問題を解決するには想定練習が効果的だ。たとえばハードルの高さを低くし、かつインターバルの幅も狭くして、そこで思い切り走れるようにする。自信がついてきたらハードルの高さを徐々に高く、インターバルの幅も広くしていき、最終的に正規の高さや幅に戻していく。

また、跳ぶことから離れて、インターバル走にする方法もある。ハードルのことはあまり考えずにミニハードルを置いて全力疾走（コツ27）することで、ハードル走より速いリズムが脳にインプットされ、その意識のまま跳ぶと意外にスムーズにできるものだ。

戸惑いや恐怖心を感じている状態でいくら練習をしても、マイナスの感情は解消できず、動きも委縮してしまう。「うまくいかないからもっと練習しなければ」と取り組むのではなく、発想を変えて困難を打開していこう。

●スプリントハードルの高さや距離

	全距離	ハードルの高さ	アプローチ	インターバル	最終ハードルからゴール
男子一般	110m	106.7cm	13.72m	9.14m	14.02m
男子少年B	110m	99.0cm	13.72m	9.14m	14.02m
男子中学	110m	91.4cm	13.72m	9.14m	14.02m
女子一般	100m	83.8cm	13.00m	8.5m	10.5m
女子少年B	100m	76.2cm	13.00m	8.5m	10.5m
女子中学	100m	76.2cm	13.00m	8.0m	15.0m

PART 4

ハードル技術向上のトレーニング

コツ25

トレーニングの種類

ハードルは効率と非効率の種目

「縦の動き」を磨きながら「横の動き」を調和させる

ハードル競技は、走力やハードリング技術を上げることで記録が伸びるが、一方でインターバルが固定されて制限を受け、ハードルが設置されていることで減速を余儀なくされる。**つまり、効率を求めながら、常に非効率な対処をしていかなければならない特性がある。**

ハードルを跳び越える「縦の動き」と、速く水平移動をする「横の動き」のうち、このPARTでは縦の動きを磨くトレーニングを中心に紹介している。単純なスプリント力アップに関しては、短距離グループのトレーニングを参考にし、両方を調和させて競技力向上を目指そう。

POINT 1 減速してからの再加速や回転数のアップが不可欠

ハードル競技における「走り」は加速と減速を繰り返す。そのことから通常のスプリント能力向上だけでなく、再加速するための技術、リズム及びインターバルの回転数を上げることが必要になる。ミニハードルを使ったトレーニングが効果的だ。

POINT 2 ハードリング技術はスピードとパワーと踏み切り

ハードリング技術の大きな要素として、踏み切り速度の速さが挙げられる。これを向上するためには「スプリントスピード」×「パワー」×「踏み切り技術」が複合的に要求される。したがってまずは基本的な踏み切り動作を高めていきたい。

POINT 3 110mH、100mH、400mHで走るトレーニングは異なる

身体重心よりハードルが高い110mハードルは縦の動きが、身体重心より低い100m・400mハードルは横の動きが強くなる。当然、走るトレーニングの内容や目的も少しずつ異なってくる。種目特性を理解して応用していけるといいだろう。

+1 プラスワンアドバイス

試合で出た課題をその後のトレーニングに生かす

試合に出れば、どんな結果になろうとも次の試合に向けた課題が出てくるはず。その課題を改善するためにはどんなトレーニングをするべきかを考え、改善すべき点をしっかり意識しながら取り組もう。

コツ26

ミニハードル①

弾むような走りで縦の動きを身につける

姿勢をまっすぐにして体のほぼ真下に接地する

縦の動きを意識し、弾むように走る

ハードル間を1歩ずつで駆け抜ける

ハードルの競技力を上げるには、ハードルを跳び越える「縦の動き」と、速く水平移動をする「横の動き」をそれぞれ習得し、両方を調和させることが基本になる。**つまり横の動きとして単に走力を上げるとともに、縦の動きとして、バネのある軽やかなイメージで弾むような走りのパターンも体得する必要がある。**

そこでミニハードルを等間隔に10台ほど並べ、ハードル間を1歩ずつでリズム良く駆け抜ける。ここでは速さよりもしっかり乗り込むことが重要。ハードルは低すぎず、ほどよい高さがあった方が縦の動きを意識しやすい。

しっかり乗り込み、脚のはさみ込み動作をタイミングよく

速さは求めなくてよいが、
リズム良く行けるように

POINT 1 体のほぼ真下に接地し腰を落とさない

接地は体の前すぎるとヒザが曲がってしまい、後ろすぎると脚が流れてしまうので、体の真下に近いところ（厳密には少し前）に接地する。上体は前傾させすぎず、ほぼまっすぐに保つ。脚のはさみ込み動作をタイミングよくすることを意識する。

POINT 2 ハードル間の幅を広げ横の動きの要素を増やす

ハードルの幅を広げる（インターバルを伸ばす）ことで、横の動きの要素が大きくなり、ストライドが伸びる。ただし、広げすぎても着地ごとにブレーキがかかってしまうため、「ちょっときつい」ぐらいの設定から少しずつ伸ばしていくといい。

コツ+α

ミニハードル②

ハードルの高さや間隔を変えて練習する

縦の動き

体の真下に近いところに接地し、着地脚で乗り込む

ハードルの高さを少し上げる

横の動き

「ちょっときつい」ぐらいの広さがちょうどよい

ハードル間を広くして横の動きを意識する

腰の高さを維持したまま、すばやく振り降ろす
支持脚の膝をカカトが
通るようにすばやく前へ
ストライドが大きくなっても接地は体の真下に近いところで
スピードを維持し、
上方向へ跳ぶように走る

コツ 27

ハイフリークエンシー①

跳ぶ動きを意識しながら速い動きで駆け抜ける

速く走る中で踏み切りの足をきちんと合わせる

ミニハードルを2台1セットで並べる

インターバルの回転（フリークエンシー）を上げる

加速と減速を繰り返すハードル競技では、**スプリント力向上に加え、再加速するための技術やインターバルの回転数を上げることが必要だ。**ミニハードル2台を通常のハードル1台と見立て、跳ぶ動きをイメージしながら走りに重点を置くハイフリークエンシーは、初心者はハードルのリズムを覚えるための練習。中上級者は正規のインターバルより短い距離に設定し、できるだけ速く動く。

どちらかと言えば、スプリントハードル用のメニューで、神経系の強化にもなる。2台セットのハードルの高さを変えると、意識する局面も変えられる。

着地したらブレーキを
かけないように加速する
このトレーニングではハードリングのフォームをすべて正確に行う必要はない

POINT 1 インターバルの動きを強調して走り抜ける

通常のハードルを何度も跳ぶと、体への負担が大きい。インターバル走の動きを作るときは、跳ぶ動きはそれほど入れずに何となく跳ぶ程度にとどめ、走る方を強調する。インターバルを狭くし、ウォーミングアップとして行ってもよい。

POINT 2 ハードルを跳んでいることをイメージする

インターバルの動きを作るのが主目的だが、走りの動きだけではいけない。走る―跳ぶ―走る―跳ぶと繰り返す中、ミニハードルのところでハードルを跳んでいることをイメージする。ミニハードルを高くすると、跳ぶ動きの要素がより高くなる。

コツ +α

ハイフリークエンシー②③
ミニハードルの前か後ろで高さを変える

踏み切り意識バージョン
手前が高くなるので踏み切りがより強調される
ミニハードルの前を高くする
着地意識バージョン
奥が高くなるので着地がより強調される
ミニハードルの後ろを高くする

再び踏み切り局面。
減速しないように踏み切る

スピードに乗ってインターバルを走る

リズム良くインターバルを走る

体の真下に近い位置に接地する

ハイフリークエンシー④

2つを高くして縦の動きを強調する

インターバルの動きを作るのが狙いのトレーニングだが、少し高さのあるミニハードルを使うと、縦の動きをより意識しやすくなる

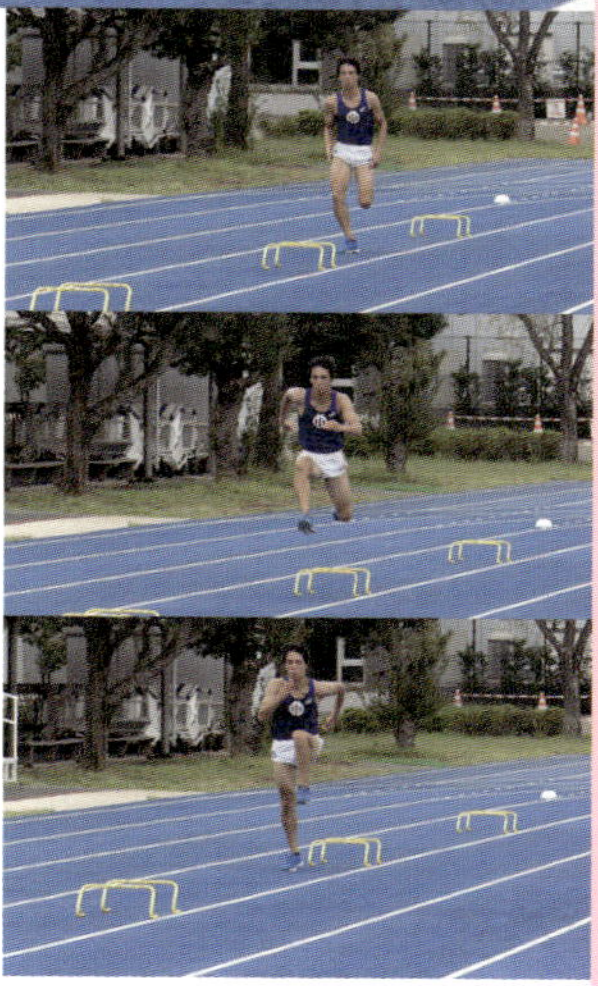

+1 プラスワンアドバイス

**ハードルの高さを変え
踏み切りや着地を意識する**

走りがメインのトレーニングだが、2個1組のミニハードルの手前を高くすると、「走り—踏み切り」を意識でき、向こう側を高くすると、「着地—走る」を意識できる。

コツ
28

200mハードルで正確な技術を養う

（400mハードル）200mハードル

反復練習で安定したパフォーマンスが身につく

とくに冬期トレーニングで推奨したいのが、400mハードルのハードル技術とリズムを養える200mハードル。通常の35m間隔ではやや練習効率が悪いので、男女ともにスタートから1台目までを15m（11〜12歩）、インターバルを17〜18・5m（7歩）に設定して行う。

200mハードルを繰り返すことで、疲労しても正確に同じリズムを刻む走りと、安定したハードリングが身につく。その後、スムーズな水平移動ができるように踏み切り位置を少し遠くにし、ダイナミックかつ流れるようなフォーム作りに徹する。段階的に強度を上げていくとよい。

コツ 29

ストライドやリズムを体に覚えこませる

（400mハードル）マーク走（スティックハードル）

スティックを目標設定とし、それを踏まないようにピッチを刻む

1歩ずつ置いたマークを踏まないように走る

マーク走の狙いは、インターバルのストライドやリズムを体に覚えこませ、安定させること。**レース後半に歩数が大きく乱れやすい400ハードルでは、普段の練習から後半のストライドが前半より極端に小さくならないように注意する。**

練習方法は、地面にスティック（棒）やマーカーをつけて目標ストライドを設定し、その区間をスティックを踏まずに150～300mを走る。インターバルを13歩で行くなら、2回目、4回目、6回目…の13歩などマークを置かない区間を設け、自分の感覚だけで走るようにするとより効果的だ。

スティックがない区間でも、
スティックがあったときと同じように走る

スティックを置かない区間のマーカー

後半のストライドが前半より極端に狭くならないようにしたい

コツ 30

着地から踏み切り動作で加速につなげる

（ハードル全種目共通）1歩ハードル①

勢いよくハードルに向かい、ハードルから遠くで力強く踏み切る

体が浮き上がらないように力強く踏み切る

1歩ハードルの目的は、踏み切り自体を強くすることと、踏み切り局面でのスピート低下を防ぐこと。5台前後のハードルを10～12足間隔で置き、タ・ターンのリズムで踏み切りと着地のみを繰り返す。正規のハードルで難しい場合は、低いハードルから行ってもよい。

スプリントハードルはとくに前方への強い踏み切りが重要になる。つま先部分ですばやく踏み切ったら体を前に倒す力を使って加速につなげ、できるだけ遠くに着地する。次の踏み切りをスムーズに行うためにも、着地でバランスを崩さないようにする意識も持ちたい。

NISHI
リード脚、抜き脚をスムーズに動かし、
バランスを崩さないように着地する
リード脚で着地し、
次の足ですぐさま踏み切る

コツ+α

（400mハードル）1歩ハードル②

400mハードルも前方へ強く押していく

400mハードルのハードルは、スプリントハードルに比べて低い。上体をそれほど前傾させずに跳ぶことができ、より横の動きを意識できるはずだ

+1 プラスワンアドバイス

逆の足でも同じように踏み切れる技術を磨く

400mハードルでも、踏み切りでのブレーキ軽減と前方へ強く押していくことを意識する。歩数が変わるレース後半を想定し、逆の足でも同じように踏み切れる技術を磨いておく。

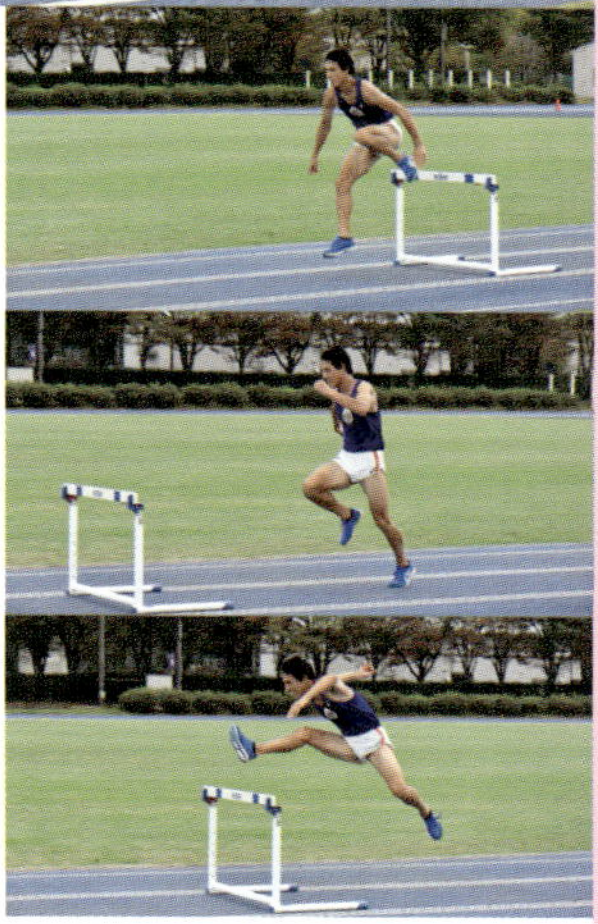

コツ 31

2列に並べたハードルを往復で駆け抜ける

（ハードル全種目共通） シャトルハードル

狭い場所でも効率よくトレーニングできる。ただし、ハードリング中に他の人とすれ違うときは接触に注意すること

2レーンを使用し、片道5台ずつで往復10台のハードルを並べる（向きを左右のレーンで逆にする）。狭い場所でも効率よく練習できる上、片方のレーンが終わってターンし、すぐ逆のレーンから戻ってくるようにすれば、持久力のアップにもつながる。

+1 プラスワンアドバイス

疲労局面でのハードル技術を改善する

シャトルハードルの効果として、持久力アップやエネルギーロスの少ないハードル技術の改善、疲労局面でのハードル技術と感覚の改善などが挙げられる。

コツ 32

弾むように跳びバネを鍛える

（ハードル全種目共通）ハードルジャンプ（両足）

ハードルを両足で連続して跳んでいく

ハードルジャンプは、「走る」「跳ぶ」という動作に欠かせないバネを鍛えるトレーニング。一定の間隔を空けて並べたハードルを両足で連続して跳んでいく。**跳躍力が向上するだけでなく、足首やヒザの関節の固定が意識づけられ、接地時につぶれにくくなる。地面からの反発をもらいやすくなる効果も期待できる。**

うまく両手を前に振り出して、タイミングよく跳び越えるのがポイント。着地したらその反動を利用して弾むように次のハードルのジャンプにつなげる。実際のハードルの踏み切りを想定し、片足でのジャンプもやってみよう。

POINT 1 ボールになったようなイメージで跳ぶ

腕の振りと力を入れるタイミングが合っていないと、腰やヒザが抜けたような感じになってうまく跳べない。自分がボールになったようなイメージで、地面から反発をもらいながら跳んでいこう。最初は低いハードルから始め、だんだん高くしていってもよい。

POINT 2 フレキハードルを使うと恐怖心を排除できる

このハードルジャンプを含め、ハードル練習では恐怖心を持ってしまうと、なかなか上達できない。そこでバーが中央部で分割されたフレキハードルを使うのがおススメ。脚が触れてもそれぞれ自在に曲がるため、恐怖感を覚えることなくトレーニングできる。

PART 4

コツ +α

片足だけで連続して飛び越す

（ハードル全種目共通）ハードルジャンプ（片足）

1歩ずつが大きいケンケンをするイメージ。高さがあるハードルを使う場合は、力強く踏み切らないと跳び越えられない

+1 プラスワンアドバイス

片足ジャンプで強い踏み切りにつなげる

片足で行うハードルジャンプは、両足ジャンプの応用で難易度が上がる。着地した際に上半身がブレたり、リズムやバランスを崩したりしないこと。ミニハードルで行ってもOK。

コツ33

（スプリントハードル）ショートインターバルハードル

インターバルを縮めてハードルの課題を見直す

一般的には1～2足長分短くして行う

ショートインターバルハードルは、インターバルの距離を縮めて回転を速くし、余裕が出た分をハードリングの課題改善や技術アップに用いる。110mハードルのインターバルは9・14mだが、1～2足長分縮めて8・8mや8・5mで行うのが一般的。インターバルが短くなると楽に走れて余裕が出てくるので、**それを「踏み切りや着地を意識しよう」「空中動作でもう少しディップをかけてみよう」といった意識づけを行える。**

ただし、ショートインターバルハードルばかりやっていると、その距離に慣れてしまうので注意が必要だ。

コツ 34

前半と後半に分けて全体のイメージをつかむ

（400mハードル）3H＋7H

不完全休息を挟んでゴールまでを走り切る

初級者やキャリアの浅い人は、400mハードルの後半のインターバルがなかなか想像つかない。そこで実際の400mのハードルを前半3台と後半7台に分けて、レース全体のイメージをつかむ。**実際の400mハードルのコースで、スタートから3台を走り、30～60秒休息したのち、少し戻った位置から4台目以降を跳びながらゴールに向かう。**

完全休息ではなく、少し休むことで疲労度が減り、極限状態で終盤を走るということが避けられる。新しい歩数に挑戦したり、レースから遠ざかっている場合に有効なトレーニングだ。

コツ35

試合前のトライアルで練習内容を評価する

（400mハードル）300mハードル

300m（8台）を走りレース結果を占う

300mハードルは試合前のトライアルとして定番とも言えるトレーニング。**通常のスタートから300m地点まで8台のハードルを跳ぶ。経験を重ねると、たとえば試合2週間前に必ず行うことで、レースでの予想がつく。**

評価ポイントは、ゴールタイムだけでなく、後半3台のインターバルタイムだ。この区間のタイムロスを最小限にして、ゴールタイムが上がれば400mハードルにつながる。後半にへばってしまったら、それまでの練習でオーバーワークなのか練習量が少なかったのかを判断し、1週間前までに克服する。

コツ36

はさみのようにすばやく切り替える

（ハードル全種目共通）シザース

リード脚を振り上げ、このあとすぐさま抜き脚を前に持っていく

リード脚が越えたら抜き脚をすばやく前に

英語で「はさみ」を意味するシザース。陸上競技のトレーニングでは、足の前さばきや挟み込みなどと言われ、脚の切り替え動作を指す。**前の脚が着地する前に、後ろの脚が前の脚を追い越すという動きになり、このトレーニングによってスムーズな重心移動が身につく。**

ハードルを使う場合は、数台を置いて、リード脚がバーを越えたらはさみでシュッと切るようなイメージで抜き脚をすばやく前に持ってくる。タイミングが遅く、抜き脚が出てこないのはNG。股関節を動かす意識で行うと、スムーズなシザース動作になる。

はさみのようなすばやい脚の切り替えがハードリング動作の速さにつながる

POINT 1 シザース動作は流れやすい脚を改善できる

脚が流れやすいクセがある人はシザース動作が有効。「脚が流れる」とは、前足の接地時に後ろ足と股関節の角度、両ヒザの距離がかなり離れている場合を言うが、これでは地面から反発をもらえず、頑張って前に進もうとしてもストライドが広がらない。

POINT 2 ハードルを置かずに体の前で脚をさばく

ハードルでのシザース動作が難しければ、まずは何もない直線で行う。膝を伸ばしたまま、体の前で脚をさばきながら走る。股関節を動かす意識を持つとよい。足が地面についている時間をできるだけ短くすることで、すばやいシザース動作になる。

コツ 37

（スプリントハードル上級者）アクセルハードル
より速く走ることで速さへの対応力を磨く

通常スタート

後方のスタート

スタート位置を下げ通常より速く走る

アクセルハードルは、スタート位置を後方に下げ、通常より高いスピードで走ることで、スピードに対応できるようにする上級者向けのトレーニング。**練習でレースのようなスピード感を味わえない人や、5台目以降でスピードダウンしてしまうという課題がある人には有効なメニューだ。**

アプローチ段階でいつもより速いので、ハードルを前にすると恐怖感を伴い、技術も要する。初期段階ではハードルを低くしてもいい。脚が合わないこともあるが、脚を合わせて跳ぶことはハードラーには欠かせない要素。ストライドとリズムでうまく調整できるようにしたい。

PART

5

レースに向けて心と体を整える

コツ 38

コンディショニング

アスリートに必要な心技体を整える

心技体がかみ合うと最大限の力を発揮できる

多くの人が速くなるため、勝つためにハードルをしている。そのためには「心・技・体」の充実が不可欠で、それは初心者でも一流選手でも変わらない。やるべきことを明確にし、練習や試合を通じて成長を続けていくことが大事。

心とは、日々の練習への取り組み方やレース本番でのメンタルの持ち方。技は、ハードル競技の根幹をなすハードル技術や走力。練習計画からきちんと考え、効率よくレベルアップしていきたい。体とは体力だが、怪我の予防や食事、休養なども含まれる。心技体がかみ合ったとき、最大限のパフォーマンスを発揮できる。

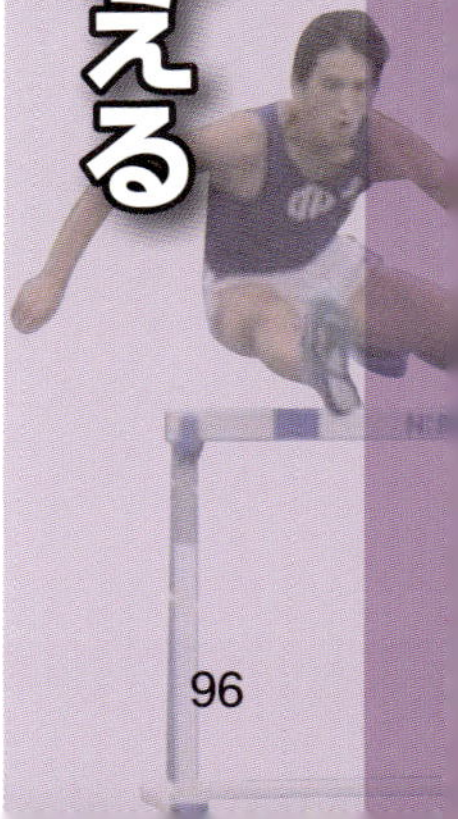

POINT 1 壁にぶつかったときは心の持ち方を変える

競技を続けていけば、壁にぶつかるときが出てくる。そんなときは「自分はなぜハードルをしているのか」と自問してみよう。日々の練習をトレーニングのためのトレーニングにせず、心の持ち方や考え方を変えると、壁を乗り越えられることが少なくない。

POINT 2 限られた時間の中で効率よくスキルを磨く

ハードル競技における心技体の技とは、ハードリングやスプリント力のこと。それぞれのスキルを磨く方法はたくさんあるが、限られた練習時間の中で効率よく総合力を高めていくには、具体的な目標設定や綿密な練習計画から考えていく必要がある。

POINT 3 トレーニングや食事で体力もアップさせる

レベルアップを目指すなら、技術面とともに体力面も向上させていかなければならない。冬期を中心にした基礎体力アップや日々の練習を継続させるための怪我をしにくい体作りには、各種トレーニングはもちろん、その土台となる食事や休養も重要になってくる。

+1 プラスワンアドバイス

ストレッチを入念に行いトレーニング効果を上げる

パフォーマンスの向上や怪我の予防、疲労を残さないといった目的で練習の前後に行うのがストレッチ。精神的な緊張を解くなど、心身のコンディション作りにもつながる。

PART 5

コツ 39

2、3週間前までに到達度を見極める

試合2週間前にすること① 400mハードル

2週間前の指標は1ヶ月前または3週間前の練習の流れで決定するが、通常の練習やトライアルでは試合のようなスピードが上がらないので若干短い距離での設定が好ましい

疲労を残さずに 1週間前から微調整を行う

400mハードルは、試合1週間の調整で疲労度を上げすぎると本番のレースに支障が出るため、練習内容に限界がある。**そこで2、3週間前までに到達度を見極めて問題点を明らかにし、1週間前から微調整を行っていく。**到達度とは、通常の調子のときにどこまで走れるかで、試合モードに入ったときの調子ではない。

2週間前の指標は、1ヶ月前または3週間前の練習の流れで決定する。ただし、通常の練習やトライアルでは試合のようなスピードに上がらないため、350mや450m走、あるいは300mハードルなど、若干短い距離での設定がよい。

コツ40

試合2週間前にすること②スプリントハードル

優先順位の上位から課題を克服する

問題ない課題は飛ばして次の課題を確認する

技術的要素が高いスプリントハードルでは、**試合の2週間前に入ったら大きな課題克服の優先順位をつけ、その上位課題から練習するのが望ましい。**

①インターバルを3歩で行けなければ、低いハードルでインターバルをリズム良く3歩でいく練習を行う。②中盤に失速しがちなら、ある程度台数を跳ぶことが大切。③後半に失速するなら、半ば強制的にスピードを上げた状態で後半のハードリング練習をする擬似場面を作る。④1台目がうまくいかない人は、1台目の踏切2歩前までの調整と踏み切り位置の調整を正確に行えるようにする。

コツ 41

練習の管理

多角的な視点で強化方法を考える

動画でフォームを撮影し、タイムから分析する

自分の動きを撮影して課題を抽出する

トレーニングは、自分の感覚だけで進めていっても限界がある。**タイムなど数字によるデータや他の人からのアドバイスも参考にすると、より多角的な視点で強化できる。練習や試合の結果、感想をノートに書き残す癖もつけたい。**

お勧めしたい方法は、簡単に撮影できるビデオカメラやスマートフォンで動画を撮ること。自分のハードリングや走りを撮影し、フォームを客観的に見て課題を抽出したり改善したりしていくといいだろう。自分が良い走りをしたときの映像や目標とする選手の映像と比較すると、修正点がより明確になるはずだ。

試合結果記入例

〇〇年〇月〇日

種目	110mH	PB	14” 60	SB	14” 68
目標大会			目標タイム		

期日		〇〇年〇月〇日			
大会名		J 大学記録会			
場所		J 大学陸上競技場			
結果		種目	110mH	タイム	14” 69(+1.9)

タッチダウンタイム（上段がベストタイム、下段が今回のタイム）

S~1	1~2	2~3	3~4	4~5	5~6	6~7	7~8	8~9	9~10	10~G
2.13	1.13	1.15	1.17	1.13	1.13	1.17	1.17	1.19	1.19	2.04
2.15	1.15	1.15	1.14	1.13	1.17	1.17	1.13	1.14	1.22	2.12

1. 今まで（練習・試合）

・着地の際に上体が起きすぎてしまうのを抑えるため、一歩目を着くまで我慢する事を意識して練習を行った。
・ドリルで走りの動きを作り、流しに応用していく事を行ってきた。
・ハードルで活かす走りの技術練習（ウェイブ走など）を行った。

2. レース（現在）

・アプローチの局面において、地面を押し続ける走りになっているため踏切が近くなった。
・前半は着地から次に繋がるまで上体を抑えられていたが、後半になるにつれできなくなっていった。
・根本的に必要なスプリントがないため、インターバルを楽に走れない。

3. 今後

・冬季練習に向けて、スプリントの動き作りを反復して練習していく。
・股関節の柔軟性を高めるストレッチングを毎日行う。
・今シーズンの反省を行い、改善点を改めて明確にする。
・改善点を見つけ、どうすれば改善できるかを考える。

※タッチダウンタイムとは、選手がハードルを越え、リード脚が着地した瞬間の区間時間のこと。動画分析で各ハードルごとのタッチダウンタイムを計測し、どのようなペース配分にしていくべきかを考える際の参考にする。反省や課題は、簡潔な箇条書きが読んだときにわかりやすい。

コツ 42

レースから逆算して計画する

冬期に課題を克服し新シーズンを迎える

長中短期に分けてトレーニング計画を立てる

トレーニング計画は、目指すレースから逆算しながら、長期・中期・短期でスケジュールを分けるといい。中高生や一般の大学生なら長期は1年半、中期は1年、短期は半年というスパンになる。

基本的にはシーズン中に出た課題を鍛錬期と呼ばれる冬期に強化し、春先からの新シーズンを迎える。冬期の課題を克服できたならその疲労が残っていないかどうかを確認する。克服できなかったなら、課題自体を見直し、焦らずに「今の課題」を克服していく必要がある。シーズン中もトレーニング計画をこまめに確認し、必要があれば調整をしていく。

ハードル競技は他の選手の存在が心理的な影響を及ぼす面もある。練習のときにそういう状況を経験しておき、レース本番では自分の走りに集中できるようにする

コツ 43

隣のレーンに選手がいる状況で走る

ライバルや仲間と競い合う

実戦に近い環境を作りチームメイトと走る

トラックで練習するとき、他種目の選手もおり、普通はハードルで何レーンも占拠できない。ただ、たまにはハードルを2つのレーンに並べ合い、一緒にスタートから練習してほしい。1人で跳ぶときとは違った感覚が芽生えるはずだ。

スプリントハードルでは相手が気になってタイミングよく踏み切れなくなったり、重心が低くなりすぎてしまったりする。400mハードルでは歩数が狂ったり、いつものリズムで走れなくなったりしやすい。**それを実戦に近い環境を作って走りやハードリングを磨くことで、試合で乱れるリスクを軽減できる。**

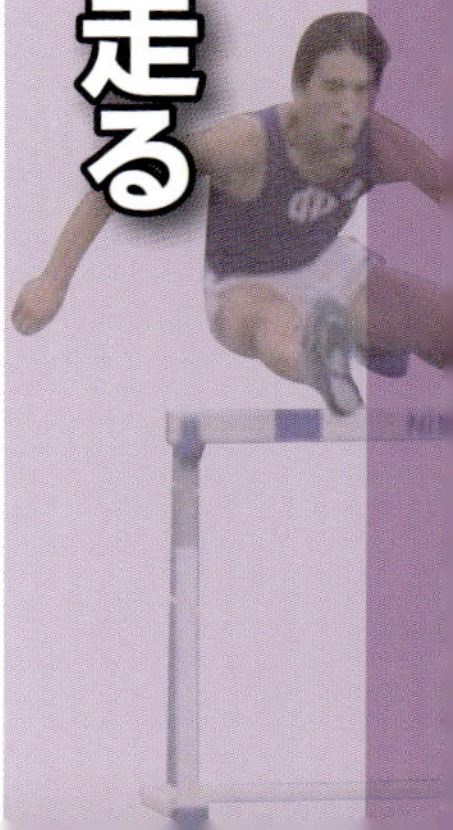

コツ 44

食事の重要性

1日3度の食事がライバルに差をつける

どれほど良い内容のトレーニングをしても、日常の食事がお粗末ではトレーニングに見合った競技力の向上は期待できない

食事や水分補給がトレーニング効果を高める

怪我をしにくく練習を継続できる丈夫な体を作り、疲労回復を早めるという点では、トレーニングだけでなく、**毎日の食事をしっかり摂ることも重要だ。エネルギーを確保したり、体の調子を整えたりする働きがある5つの栄養素をバランスよく摂取する。**

また、練習や試合ではこまめな水分補給も欠かせない。水やスポーツドリンクは、体に取り入れることで発汗で失った水分を補い、上昇した体温を下げてくれる。暑熱環境下での運動時の消耗を抑える効果もある。のどの渇きを覚える前に水分を摂る習慣を身につけよう。

POINT 1 多くの食材でバランスの取れた食事を摂る

食事は品数の多さを心がけると、よりバランスの取れた食事になる。ただ、練習量が増える冬期の鍛錬期や合宿時にはタンパク質を多く摂り、試合前の調整期には炭水化物やビタミン、ミネラルの豊富な食事を摂るなど、その都度メニューの工夫が必要だ。

POINT 2 5大栄養素を理解し日々の食事に取り入れる

5つの栄養素とは、ごはんや麺類といった主食に多く含まれる「糖質」、エネルギー源となる「脂質」、肉や魚、卵などから摂れる「タンパク質」、体の調子を整える「ミネラル」と「ビタミン」。これらは摂らないのはもちろん、摂りすぎて偏るのもいけない。

POINT 3 水分補給はその都度量や頻度を変える

スポーツ界では、たった2%の脱水でパフォーマンスの大きな低下を招くと言われる。したがって水分補給は、気象条件やトレーニング内容に応じて量や頻度を変え、多い量を飲むときも一気にガブガブと流し込まずに、1～2口の量をこまめに飲むのがよい。

+1 プラスワンアドバイス

通常の食事足りなければ補食で栄養を確保する

規則正しい食生活が理想だが、どうしても不規則になってしまうときや、1日3食では量が足りないときは、「補食」(間食)で食事回数を増やして栄養を確保する。

PART 5

コツ 45

自分をコントロールし大一番で力を出し切る

レース本番でのメンタル①

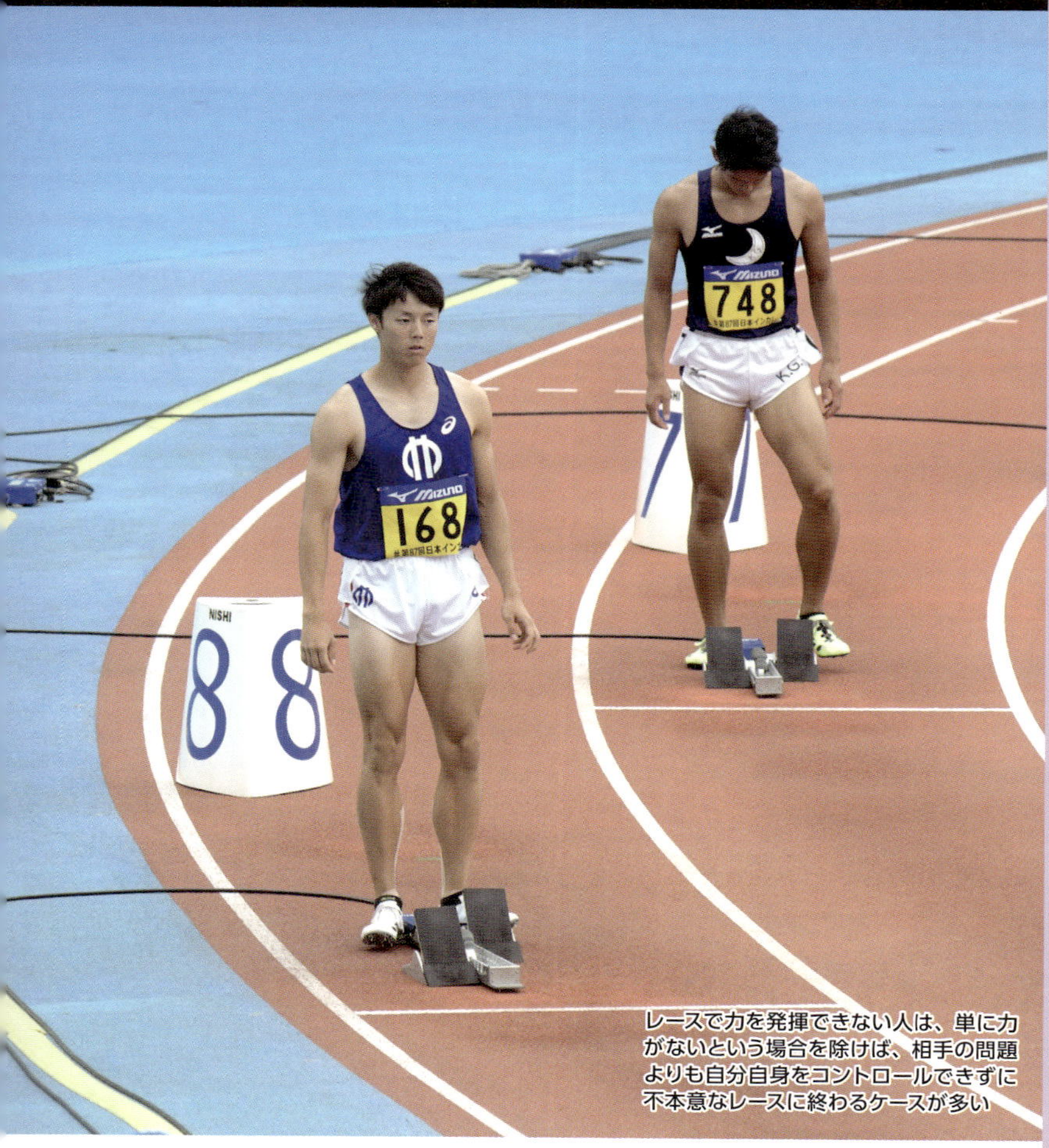

レースで力を発揮できない人は、単に力がないという場合を除けば、相手の問題よりも自分自身をコントロールできずに不本意なレースに終わるケースが多い

人や物のせいにせず 最後まで諦めない

ハードル競技は、積極的な姿勢が必要であり、ハードルという障害があるため、大きな試合になればなるほど記録更新が期待できる一方、**大一番でミスをしてしまうことが少なくない。400mハードルはとくにその傾向が強く、全般的にハードル競技は心理戦と言える。**

陸上競技は、まず自分（自己記録）との戦い。レース本番で自身に負けないためには、①焦らない、②自分を疑わない、③人や物のせいにしない、④諦めない。という4つを心掛けたい。いざというときだけ考えてもなかなか成果は上がらないので、普段から意識することが重要だ。

コツ
46

レース本番のメンタル②

悪コンディションをマイナスに捉えない

雨や風、暑さや寒さといった気象条件は、良い記録を目指すという点では厳しいものになるが、対他の選手という点から言えば、有利不利はないはずだ

悪い状況も楽しむくらいの余裕を持つ

自分の体調、あるいは天候やグランドコンディションが悪くても、「今、その瞬間」に力を出せなければ実力とは言えない。厳しい世界ではあるが、それが陸上競技の醍醐味でもある。

たとえばスタート位置へ入ろうとした瞬間、突如の豪雨に見舞われた。ここで焦ったり、「こんな雨では無理だ」とネガティブになるようでは好記録は期待できない。「みんなも同じ条件だ」「よーし、勝負に徹しよう」と気持ちを切り替え、前向きにレースに挑む。その状況を楽しむことができるくらいの余裕を持つことが実力発揮への道かもしれない。

コツ47

怪我をしてしまったときは

できる運動を続け本格復帰に備える

怪我をしたとき、そのことをいつまでも悔やんでも仕方がない。怪我をしていない部位を鍛えたり、イメージトレーニングをしたり、できることを前向きに取り組もう

体幹補強やプールなどの利用で運動量を確保する

競技を続けていれば、思いもしない怪我でトレーニングをできない時期もある。ハードル競技で見られる怪我は、短距離種目と同じく肉離れが圧倒的に多く、他にシンスプリント（過労性骨膜炎）や疲労骨折、アキレス腱や膝の炎症、腰部障害などが起こりやすい。

他の人が元気に走っている姿を見ると焦りが生じてくる。試合が迫っていれば、なおさらだろう。しかし、そういうときも無理をせず、体幹の補強を行ったり、プールや自転車などを利用して運動量を確保しよう。そうすればいざ本格的な走練習をしたときにも回復は早い。

コツ 48

コンディショニング

トレーニング後の休養が身体機能を向上させる

疲労回復を早める目的で、疲労が蓄積した後に軽い運動やストレッチなどを行う積極的休養（アクティブレスト）も効果的

練習量を増やすだけでは良い動きから遠ざかる

トレーニングで負荷をかけると疲労が生じ、その後、負荷を軽減させながら疲労を回復させることで体は適応し、身体機能が向上する。これを「超回復」といい、現代のトレーニングは通常、この理論で行われる。**回復の過程を設けなければ、良い動きから遠ざかるだけでなく、怪我も起こしやすくなる。**

たとえば鍛錬期では、トレーニング負荷を継続して与えるのは約2〜3週間が限度。その後は1週間ほど回復期間に充てることが好ましい。記録を伸ばすには、ハードなトレーニングだけでなく、適切な休養も欠かせない。

ウォーミングアップとクールダウン

アップからダウンまでがトレーニング

意識の高い選手ほど、トレーニング前後のウォーミングアップとクールダウンを時間をかけて行っている

アップは練習効果を高め怪我のリスクを減らす

練習の前後には、それぞれウォーミングアップとクールダウンを必ず行うこと。アップは体を温めてその後の本練習の効果を高め、かつ怪我のリスクを減らすのが目的だ。**一般的には、ジョギングなどの有酸素運動→静的ストレッチ→動的ストレッチという流れで、気温が低い時期や時間帯こそ時間をかけて行う。**

激しい運動後の体の回復を促すのがダウン。筋の興奮性を沈静化させ、リラックス効果を得るために、静的ストレッチがよいとされる。とくにダウンは疎かにしてしまいがちだが、アップからダウンまでが練習という意識を持とう。

POINT 1 反動を利用せずにゆっくりと筋を伸ばす

静的ストレッチは反動を利用せず、ゆっくりと筋を伸ばす。部位にもよるが、１回あたり15～30秒ほど、痛みを感じる手前の心地よく感じるところで止める。ただし、近年は静的ストレッチだけをやりすぎるとパフォーマンスの低下を招くという意見もある。

POINT 2 反動を利用してダイナミックに動かす

動的ストレッチは反動を利用し、関節をダイナミックに動かしながら筋肉を伸ばす。これにより筋肉の柔軟性が高まり、体がスムーズに動くようになるので、トレーニング効果のアップが期待できる。伸ばすときは該当する部位を意識するようにする。

POINT 3 冷たい水や氷で痛みや疲れを軽減する

怪我をしたときの応急処置や予防に効果的なのが、冷たい水に浸けたり、氷などで冷やすアイシング。筋疲労や慢性的な痛みの軽減にもなる。市販のスプレー式の冷却剤は長い時間、噴霧すると凍傷を起こすこともあるので使用の際は注意しなければならない。

+1 プラスワンアドバイス

股関節の柔軟性がパフォーマンスに影響する

陸上競技では股関節は柔らかいほどよい。とくに走って跳ぶハードルでは、股関節の可動域がパフォーマンスに大きく影響する。日頃から意識して柔軟性を高めておこう。

PART 5

コツ +α

ストレッチ

股関節を中心に体全体を柔らかくする

ストレッチ 1 股関節周りのストレッチ

立った状態から足を大きく一歩踏み出し、そこから腰を落としていく。視線は真正面に向けて背筋を伸ばし、両手は前の膝の上に置く。前の膝がつま先より前に出ないようにするのがポイント。左右を入れ替えて両方の脚で行い、太ももから臀部の筋肉までを刺激する。

ストレッチ 2 股関節・ハムストリングのストレッチ

左右に開脚した姿勢から上体をゆっくり横に倒す。できる限りヒザを曲げないようにし、右に倒すときは左手で右足のつま先に触れる。顔を正面に向けて行うことで、同時に腰や体側も伸ばすことができる。左右両方を行う。体が硬い人はできる範囲で。

ストレッチ 3 股関節周りのストレッチ

座った状態で左右の足の裏を合わせ、その部分を両手で持つ。折り曲げた左右の膝を下げ、上体をゆっくり前に倒していく。太ももの内側の伸びを感じながら、股関節周りを柔らかくしていこう。

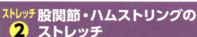

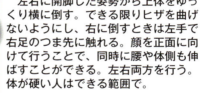

ストレッチ 4 太もも前面のストレッチ

片方の脚を前方に伸ばし、もう片方の脚はヒザを折り曲げて、カカトをお尻の横につけるようにして座る。そこから上体を後ろに倒していく。まずヒジをつき、より強度を高めたい場合は完全に仰向けになる。左右両方の脚で行い、折り曲げたヒザが浮かないように注意すること。

ストレッチ 5 股関節周りのストレッチ

地面に座った状態でハードリングの姿勢を作る。リード脚を前に伸ばし、抜き脚を外側に折り曲げる。上体を前傾させて、伸ばした脚と逆側の手でつま先に触れる。頭だけを倒すのではなく、上半身を深く倒して股関節周りの伸びを感じる。400mハードルの人はもちろん、スプリントハードルの人も左右両脚を行う。

ストレッチ 6 お尻のストレッチ

地面に脚を伸ばして座り、片方のヒザを折り曲げて、逆側の伸ばしている脚の外側に足をつく。折り曲げたヒザを両腕で抱え込んで手前に引き寄せ、お尻の筋肉の伸びを感じたところで数十秒間維持する。逆側も同じように行う。

ストレッチ 7 お尻・腰のストレッチ

上記ストレッチ⑥のように片足を伸ばし、もう片方の脚をクロスさせてヒザを折り曲げる。伸ばした脚にヒジをあて、押さえつけるように上体をゆっくりひねる。逆側も同じように行う。

ストレッチ 8 股関節周りのストレッチ

地面に座り、片方の脚を前に持ってきて、ヒザを折り曲げる。もう片方の脚は後ろへ伸ばし、甲が地面につくようにする。両手を地面について体を支えながら、脚のつけ根を前後に開くイメージで股関節を刺激する。逆の脚でも同様に行う。

ストレッチ 9 股関節周りのストレッチ

右脚を後方に伸ばし、左足はやや左斜め前に踏み出してヒザを深く曲げる。右手を地面のやや右斜め前についてバランスを取りながら、左手は折り曲げた左脚のカカトあたりにつく。このとき肩に担ぐようにヒザ下に肩を入れる。低い姿勢をこのままキープするだけでも効果はあるが、前後左右に上体を揺らすと、より多くの部位を刺激できる。逆の脚でも同様に行う。

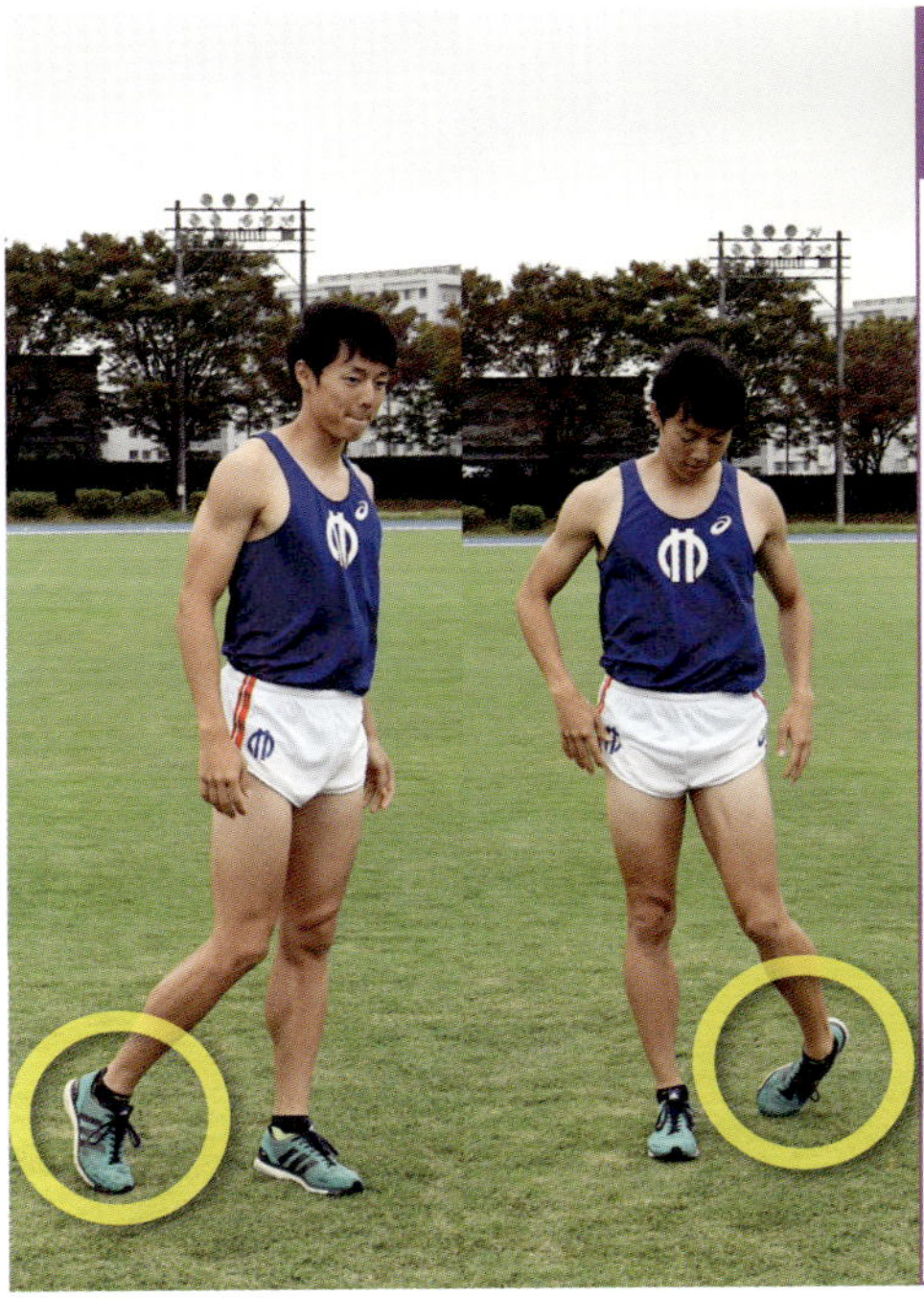

ストレッチ 10 足首のストレッチ

つま先を立てて、片足ずつ右回り、左回りでゆっくり回す。つま先だけをこねるのではなく、足首全体を意識して大きく回すこと。また、つま先を反らせてアキレス腱側を伸ばしたり、足の甲を地面に向けて近づけて足底筋群を刺激したりして、足や足首付近の柔軟性を高め、怪我の防止に努める。

ストレッチ 11

肩のストレッチ

ヒジを伸ばしたまま真横に引き上げた腕を、反対の腕で挟み込むようにして胸の方に引きつける。このとき、上体をねじらず、水平に伸ばしている腕には力を入れないようにして、肩がゆっくり伸びていることを意識する。逆の腕でも同じように行う。

ストレッチ 12

胸・腰のストレッチ

足を肩幅ぐらいに開いて立ち、両手を背中側で組む。そこから両手を背中側で組んだまま、上半身をゆっくり前に倒していく。両手が体の上からより前に行くのが望ましいが、体が硬い人はできる範囲でOK。

ストレッチ⑬ ハムストリング・股関節のストレッチ

ヒザを伸ばした状態で片足をハードルバーの上に乗せる。片手は伸ばした脚のつま先を握り、もう片方の手はヒザに乗せると、バランスを取りやすい。この姿勢をキープするだけでもハムストリングが刺激されるが、ここから上体をゆっくり前に倒すと、腰や背中も伸びる。逆の脚も同じように行う。ハードルの高さが感覚的に身につく効果もある。

ストレッチ⑭ 股関節周りのストレッチ

両手でハードルの両端を支えながら、片脚のヒザから下をヒザが外に向くように寝かせてハードルバーの上に乗せる。前に重心をかけすぎないように注意する。逆の脚も同じように行う。

ストレッチ⑮ 股関節周り・ハムストリングのストレッチ

ハードルに対して真横を向いて立ち、片脚のヒザから下をハードルバーの上に乗せる。その状態から上半身を前屈させていく。逆の脚も同じように行う。

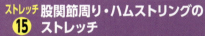

ダイナミックストレッチ

心拍数を上げながら筋肉を伸ばす

先ほど踏み出した脚を軸に、もう片方の脚を大きく前に踏み出す

踏み出した脚のヒザを深く曲げる

動的ストレッチとも言われるダイナミックストレッチ

ダイナミックストレッチは、大きな動作を行うことで筋肉を伸ばし、関節可動域を広げる。心拍数を上げて体温を上昇させることが目的で、**運動前のウォーミングとして行うと、怪我の予防、競技動作をスムーズにする、パフォーマンスのアップといった効果が期待できる。**

内容によっては筋トレに近いものもあるが、あくまでもストレッチなので疲労してしまわないように注意する。筋肉が冷えて体が温まりにくい季節には、より多くの種類を時間をかけて行うこと。事前に軽めのジョギングを行うと、ダイナミックストレッチの効果が増す。

前脚のヒザが直角になる
くらいまで腰を落とす
片脚を大きく前に踏み出す

POINT 1 腰を落として筋肉を伸ばす

片脚を前に大きく踏み出し、後ろ脚のヒザを地面に近づけるように腰を落とす。そこから腰を上げ、逆の脚を踏み出して同じ動きを繰り返していく。リズム良く行うのがポイント。

POINT 2 伸ばしている部位を意識する

ダイナミックストレッチは、いろいろな部位を同時に動かすため、意識が散漫になりやすい。1つ1つの動きを疎かにせず、筋肉の伸びを感じるようにしたい。

ダイナミックストレッチ①
振り上げた足を下ろし、逆の脚を振り上げるために小さく1歩踏み出す
先ほどとは逆の脚を振り上げ、つま先を足と反対側の手でつかむ

ダイナミックストレッチ②
両ヒザはどの局面でも終始、伸ばしたままで
腕を大きく振り、大きなストライドを意識しよう